纵横 Business Chinese
商务汉语

Challenge to Read (Intermediate) 中级阅读教程 1

Zongheng Shangwu Hanyu

主编　陈　珺　陈泽涵

编者　陈　珺　陈泽涵　吴馥娜

高等教育出版社·北京
HIGHER EDUCATION PRESS　BEIJING

图书在版编目（ＣＩＰ）数据

纵横商务汉语中级阅读教程．1／陈珺主编．--北京：高等教育出版社，2013.3（2016.8重印）
　　ISBN 978-7-04-036373-9

　　Ⅰ．①纵… Ⅱ．①陈… Ⅲ．①商务－汉语－阅读教学－对外汉语教学－教材 Ⅳ．①H195.4

　　中国版本图书馆CIP数据核字（2013）第001509号

责任编辑　吴剑菁	策划编辑　梁　宇	封面设计　华路天然	版式设计　刘　艳
责任校对　吴剑菁	责任印制　尤　静		

出版发行　高等教育出版社	咨询电话　400-810-0598
社　　址　北京市西城区德外大街4号	网　　址　http://www.hep.edu.cn
邮政编码　100120	http://www.hep.com.cn
印　　刷　北京鑫丰华彩印有限公司	网上订购　http://www.landraco.com
开　　本　889mm×1194mm 1/16	http://www.landraco.com.cn
印　　张　12.75	
字　　数　300千字	版　次　2013年3月第1版
购书热线　010-58581118	印　次　2016年8月第2次印刷

本书如有缺页、倒页、脱页等质量问题，请到所购图书销售部门联系调换
版权所有　侵权必究
物 料 号　36373-00

ISBN 978-7-04-036373-9
04900

前　言

随着中国经济的持续快速发展，学习汉语的人群中，以经商、贸易为主要目的的学习者越来越多，商务汉语成为国际汉语教学中新的增长点。经过十几年的发展，商务汉语（或称经贸汉语）成为来华留学生本科教育体系、汉语培训体系中需求量最大的汉语专业方向，已具备较为完整的课程体系。然而，由于商务汉语具有其独特的学科性质，它对师资和教材的要求都比较高。因此，我们希望编写一套全方位、多层次、新理念的商务汉语系列教材，以满足不同类型、不同水平的商务汉语教学需求。

《纵横商务汉语》系列教材是高等教育出版社联合几所国内高校的骨干教师共同策划编写的、面向来华留学生的商务汉语教材。本系列起点为准中级，掌握500～600个汉语词汇的汉语学习者，包括综合教程、口语教程、听力教程和阅读教程，形成纵横贯通的结构，既可以配套使用，也可单独使用，以满足各高校的来华留学生商务汉语各类课程的设置。

一、教材特色

《纵横商务汉语》阅读系列采用"主题式"编排体系，兼顾词汇学习，倡导"以学生的视角看世界"的体验式教学模式。阅读材料以生活中实用的阅读材料为基础，为学生的生活和商务活动提供帮助，让学生在真实或模拟的语境中"体验、实践、参与、合作和交流"，"在做中学（learning by doing）"，不断提高运用汉语的能力。

本书是《纵横商务汉语》阅读系列的中级教程。目前的汉语教材多以校园生活为背景，学生在学习中很难接触到与商务相关的词汇。这本以商务为主题的阅读教材，以生活中常见的图片阅读为切入点，让学生有身临其境的感觉。图片中文字虽不多，但多为实用阅读和拓展阅读的关键词，让学生在轻松的阅读中掌握每一课的关键词汇。而后面的实用阅读与拓展阅读，内容也相互关联，力求多角度展现同一个主题。所选文体涉及故事、游记、新闻、广告、时刻表等多种类型。

在生词的处理上，我们利用"中文助教"软件，每册按各级汉字和词汇量的要求预先设定，把每篇语料中出现的影响理解的关键词随文列出，并标注拼音和注释，便于学生及时查阅。由于阅读课与精读课不同，我们不要求老师详细解释生词，只要求学生明白意思即可。

除常规阅读训练中判断、选择、填空、回答问题的题型外，我们在实用阅读和拓展阅读环节，还安排了课堂活动和讨论，老师可根据需要在课堂活动中安排。

二、教学目的和教学对象

本阅读系列教材共5册，分准中级、中、高级，准中级1册、中高级各2册。题型、内容参照BCT商务汉语考试要求，既可与商务汉语综合课和其他技能课配套使用，也可作为学生商务汉语考试中阅读部分的应试训练。

《纵横商务汉语·准中级阅读教程》适用对象为在华学习一年以上、汉字识字量在500字以上、词汇量在1000个以上的学习者。阅读内容定位于生活中的商务，旨在让学生通过生活中的实用阅读掌握商务中的基础词汇，扩大汉字识字量和词汇量，达到一定的阅读能力。

《纵横商务汉语·中级阅读教程》适用对象为在华学习一年半以上、汉字识字量在800字以上、词汇量为1500个以上的学习者。阅读内容定位于简单的贸易基础和公司场景中的商务活动，旨在让学生了解基本的商务场景，为专业的商务学习打下基础，通过快速阅读等基本技巧的训练，掌握较好的阅读能力。准中级与中级都无须具备专业的商务知识背景。

《纵横商务汉语·高级阅读教程》适用对象为在华学习两年以上、汉字识字量在1500字以上、词汇量为3000个以上的学习者。阅读内容定位于与国际贸易相关的专业阅读及社会中发生的各种与经贸相关的热点话题，采取案例阅读的方式，旨在让学生通过阅读进一步熟悉商贸流程和专业知识，通过对相关案例的讨论，提高专业阅读能力。

三、使用说明

课时安排：每本教材3个单元，每单元4课，共12课，每篇课文建议教学时间为4个学时。

《纵横商务汉语·中级阅读教程》每课分为四个部分：图片阅读、阅读技巧、实用阅读和拓展阅读。随着学生语言水平的提高，文章的长度较准中级有所增加。

1. 图片阅读

   以图片形式展示一些公司场景中与商务相关的标识性、宣传性的文字，以含有关键信息的图片为主，包含汉字比较少（一般不超过100字）。图片阅读部分一般分为四个小部分，每一小部分中含有1~3张图片。

2. 阅读技巧

   本书的阅读技能训练的重点在于猜词。第一单元重点介绍根据偏旁、语素知识猜词，第二单元侧重于根据前后文逻辑关系猜词，第三单元侧重于根据词语搭配等知识来猜词，鼓励学生通过各种方法达到快速阅读、有效阅读的目的。

3. 实用阅读

   与该课主题相关的一些说明性文字，内容上是第一部分的延伸，也包含一些表格，可以为学生提供非常实用的生活信息。字数在200字左右。

4. 拓展阅读

   含2篇短文，每篇字数在500字左右，老师可根据需要课内外灵活使用。一般是与每课的主题相关的故事或者新闻，以引发学生对相关商务事件的讨论。

本教材编写分工如下：陈珺负责1、2、3、4课，陈泽涵负责第5、6、7课，吴馥娜负责第9、10、11、12课，陈珺、陈泽涵共同编写第8课。陈珺负责统稿工作，许晶承担最后的校对、审订工作，陈泽涵老师负责翻译工作。高等教育出版社的梁宇老师和吴剑菁老师对教材提出了许多宝贵意见，并作了认真细致的审核、校对、制图工作。特此致谢！

编　者

2012年11月于美国加州

目　录

1 初入职场

第 1 课

zhāo pìn hé yìng pìn
招聘和应聘

热身问题:
· · · ·

1. 如果你要找工作，首先需要准备什么？

2. 准备过程中你还需要注意些什么？

3. 在找工作前，你有没有实习过？如果有，说说你的实习经历。

4. 你喜欢做什么样的工作？你对自己的工作有什么期望和要求呢？

第一部分▶ ◀图片阅读

1 求职准备

①

②

③

④

3

	1. 简历	jiǎnlì	resume
	2. 招聘会	zhāopìnhuì	job fair
	3. 投	tóu	send
	4. 面试	miànshì	interview

● **根据图片回答问题：**

(1) 找工作前应该准备好什么？

(2) 图片上提到哪几种投简历的方式？

(3) 公司一般用什么方式通知面试？

(4) 对你进行面试的人叫什么？

● **课堂讨论：**

你认为面试过程中需要注意什么？

2 起薪对比

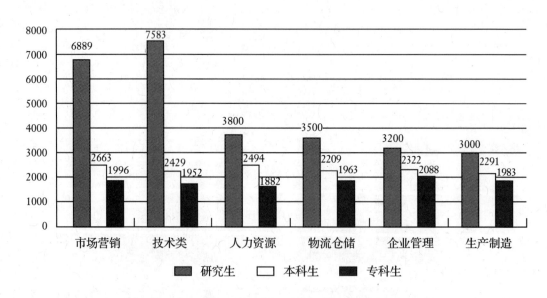

小企业（20~100人规模）中各类职位起薪对比

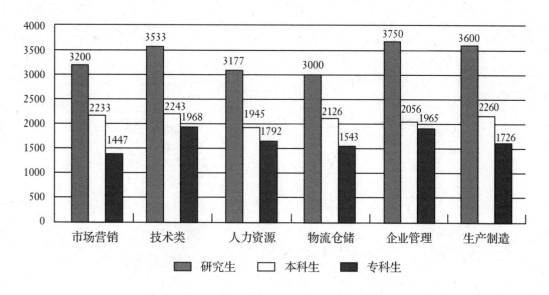

大企业（100~1000人规模）中各类职位起薪对比

● **根据图片判断对错：**

(1) 大企业里各个职位，大学本科生的起薪都比小企业要低。（　　）

(2) 小企业为市场营销、技术类、人力资源和物流仓储的研究生提供的起薪比大
企业要高。（　　）

(3) 大企业里企业管理和生产制造的研究生起薪比小企业高。（　　）

● **根据图片选择正确答案：**

(1) 本科生起薪最高的是（　　）。

A. 小企业里的人力资源　　　B. 小企业里的物流仓储

C. 小企业里的市场营销　　　D. 大企业里的技术类

(2) 专科生起薪最高的是（　　）。

A. 大企业里的技术类　　　　B. 大企业里的企业管理

C. 小企业里的企业管理　　　D. 小企业里的生产制造

(3) 研究生起薪最高的是（　　）。

A. 大企业里的企业管理　　　B. 大企业里的生产制造

C. 小企业里的技术类　　　　D. 小企业里的市场营销

● **课堂讨论：**

(1) 你对什么样的职位感兴趣？在你们国家哪些专业是热门专业？

(2) 你喜欢去大企业还是小企业？为什么？

3 职位需求对比

国有企业各类职位需求对比

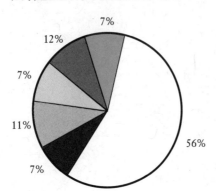

外资企业各类职位需求对比

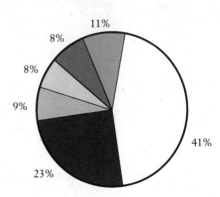

民营企业各类职位需求对比

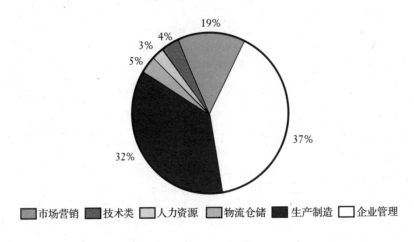

■市场营销 ■技术类 □人力资源 □物流仓储 ■生产制造 □企业管理

● **根据图片填空：**

(1) 在国有企业里需求最多的职位是（   ），达到了（   ）%。

(2) 外资企业里对（   ）、（   ）、（   ）职位的需求比国有
    企业多。

(3) 民营企业里对（   ）、（   ）和（   ）职位的需求最少。

● **课堂讨论：**

(1) 你觉得国有企业、外资企业和民营企业对职业需求比较一致的地方是什么?

(2) 你觉得国有企业、外资企业和民营企业对职业需求差别比较大的地方是什么?

(3) 讨论一下以上两个问题的原因，并说说和你的国家的情况是否相同。

第二部分▶ ◀阅读技巧：快速阅读

在商务活动中，我们常常需要阅读大量的材料，怎样从大量的信息中尽快找到自己需要的信息，抓住文章的中心意思，是非常重要的能力。阅读时，无需仔细地阅读文章的每一行、每一个字，也不需要了解每个字、词的意思，只需要带着问题跳跃性地阅读，就可以提高阅读效率。

快速阅读有四种基本的方法：

1　跳读

跳读是指人们在看书读报时快速地浏览标题的阅读方式，目的是为了了解书刊报纸的大概内容，寻找感兴趣的篇目或文章。

生词			
	1. 时尚	shíshàng	fashion
	2. 传媒	chuánméi	media
	3. 英才	yīngcái	person of outstanding ability
	4. 绩效	jìxiào	performance
	5. 税务	shuìwù	tax
	6. 临床	línchuáng	clinical
	7. 电机	diànjī	motor
	8. 精英	jīngyīng	elite
	9. 机械	jīxiè	machine
	10. 顾问	gùwèn	consultant

11.	科技	kējì	science and technology
12.	自动化	zìdònghuà	automation
13.	营运	yíngyùn	operation

● **请你看看以上招聘网站的招聘信息，回答下列问题：**

(1) 如果你是学新闻专业的，你可以去哪家公司应聘？

(2) 如果你是学服装设计的，你可以去哪家公司应聘？

(3) 如果你要找教育方面的工作，你可以去哪家公司应聘？

(4) 如果你对汽车感兴趣，可以去哪家公司应聘？

2 查读

查读是指有目的地在大量的文字材料中迅速查找某些有用的信息。此类文字资料大体分为两类：一类是不成文的资料，如时间表、号码簿、名单、菜单、地图、指示图等；另一类是成文的资料，如通知、告示、广告以及一般的通讯报道和文章等。

查读这两类资料与商务活动密切相关，一般来说只需要带着问题浏览文章，抓住想了解的信息，如时间、地点、价格、号码或相关数据，其余无关信息则不需细读。

(1) 某公司三名员工工资单

姓名	基本工资	岗位工资	津贴				加班工资	应发工资	代扣所得税	实际工资	扣款				实发工资
			工龄	住房	交通	电话					养老保险	医疗保险	病事假	小计	
张晓平	1000	600	100	400	100	100	400	2700	140	2560	150	150	0	300	2260
李杰	1500	800	150	600	100	100	200	3450	290	3160	150	150	50	350	2810
王成芳	2000	1000	200	800	100	200	0	4300	460	3840	150	150	0	300	3540

	1.	岗位	gǎngwèi	post
生词	2.	津贴	jīntiē	allowance
	3.	工龄	gōnglíng	work length of service
	4.	加班	jiābān	work overtime
	5.	所得税	suǒdéshuì	income tax
	6.	扣款	kòukuǎn	deduction

● **根据表格回答问题：**

(1) 实发工资最多的是谁？

(2) 请过假的是谁？

(3) 工龄最长的是谁？

(4) 职位（岗位）最高的是谁？

(5) 加班最多的是谁？

只要根据关键词，再查看相应的数字，很快就可以找到答案。

（参考答案：(1) 王成芳　(2) 李杰　(3) 王成芳　(4) 王成芳　(5) 张晓平）

(2) 招聘广告

zhāopìn guǎnggào
Job ad

> 收银员：5名，限女性，18~30岁，普通话流利，形象气质佳，有相关工作经验
> 　　　　者优先。月薪：1200元~3000元
> 接待员：5名，限女性，18~25岁，身高1.65m以上，普通话流利，形象气质
> 　　　　佳，有相关工作经验者优先。月薪：1500~3000元
> 服务员：50名，男女不限，18~30岁，形象气质佳，有相关工作经验者优先。
> 　　　　月薪：1000~3000元
> 保　安：2名，限男性，25~40岁，身高1.70以上，身体健康，退伍军人优先。
> 　　　　月薪：1000~2000元

● **根据短文回答问题：**

(1) 一个35岁的男性可以应聘广告中哪个工作？

(2) 一个28岁的女性可以应聘广告中哪个工作？

如果只关注广告中招聘员工的性别、年龄、工资，尽管有些词不明白，也可以很快找到答案。

（参考答案：(1) 保安　　(2) 收银员、服务员）

3 略读

略读是指看一遍文章，看懂文章的中心意思、大概内容和整体结构。

商务活动中很多材料只需要看个大概即可。有些很重要的文章，往往

也是先用略读的方法扫一遍，重要的地方再通读或者慢慢细读。在略读的时候，一般要求先看文章，再回答问题。重点抓住中心思想和段落大意，细节可以略去。如：

眼看下周就要去实习单位报到了，大四的小秦忐忑不安。新公司是家外企，大家都有英文名字，理论上说应该称呼英文名字。但自己是新人，直接叫名字会不会太随便，要不要加后缀？他举例说："比如有位叫Anna的女同事，是直接叫她Anna，还是Anna姐，或是Anna前辈？"

他觉得直接叫Anna有点随便，但叫Anna姐，女人大都忌讳年龄，这样会不会冒犯对方？如果叫Anna前辈，会不会太"做作"了，说不定别人还以为你韩剧看多了。为此，小秦纠结了好一阵。

不少新人会问，"职场上有没有能通吃的称呼啊？"混迹职场多年的刘小姐对此就颇有心得："曾经有，但现在更讲究因人而异。"在大部分公司，喊"哥哥"、"姐姐"很吃得开。她就用"姐姐"称呼女上司。"这其实是弹性很大的一个称呼，既有对年龄身份的确认，表示尊重；又暗含了撒娇的味道，能迅速拉近感情。"

不过，具体情况还是要因人而异。她提到隔壁部门的一个女主管，看起来30多岁了，还是单身，也从不对外透露年龄。"她对打扮特别讲究，还热衷研究各类保养品。像这样在乎年纪的同事，千万别乱喊'姐'啥的，说不准就会惹来对方的不爽。"

叫声"老师"总没错

新人进单位，实在不知道怎么叫，叫声"老师"总没错。

喊高不喊低

刚进公司，如果不清楚同事的职位，适当称呼"高"一点，可以暗示他在你心里的地位。同时，千万不能把资历比较久或者担任领导的人喊"低"。

最好"投其所好"

想称呼<u>得当</u>，还要考虑对方的性格和喜好，尤其是领导。如果对方是"<u>死板</u>"型的，称呼"经理、某总"就好；如果是战友型，叫"头儿"、"老大"挺合适；如果是<u>海归</u>型的，可以投其所好叫他英文名。

● **根据短文回答问题：**

请你为这篇文章设计一个题目：＿＿＿＿＿＿＿＿＿＿＿＿＿＿

如果你遇到这样的题目，只需要通过略读，了解这篇文章的中心意思就行了。这篇文章围绕职场称呼展开，中心意思就是：**职场里怎么称呼别人很重要，要因人而异，不知道怎么叫就叫"老师"。**至于具体怎么称呼才好，可以通过进一步的通读或细读来了解。文中画横线的词可能你还没学过，但并不影响你对全文的理解。

（参考答案：<u>职场称呼有技巧，叫声"老师"总没错</u>）

4 通读

通读就是快速地把文字材料看一遍，要求既能抓住文章的中心意思，又能掌握比较重要的细节；既能分清文章的结构，又能理解具体的描述；既能明白作者的观点，又能把握作者的态度。

这种方法是快速阅读中用得最多的一种，它和精读的区别是，它不要求了解每个词的意思，不具体讲解语言点或词汇的意思和用法，遇到不影响全文理解的可以跳过去，或者根据前后文、背景知识猜测它的意思。通读是快速阅读训练的重点。

● **请你用通读的方法阅读上一篇文章，并回答下列问题：**

(1) 对于新人来说，在大部分公司里，叫同事什么比较好？（　　　）

    A. 哥、姐　　　　　　B. 英文名

    C. 姓＋职位　　　　　D. 头儿、老大

(2) 对什么样的人叫"姐"不太合适? （　　　）

    A. 年龄比较大的　　　　　　B. 已经结婚的

    C. 还是单身的　　　　　　　D. 很在意年龄的

(3) 在不清楚同事职位的时候，怎么叫比较好? （　　　）

    A. 叫哥、姐　　　　　　　　B. 叫高一点的职位

    C. 叫低一点的职位　　　　　D. 叫英文名

(4) 称呼从国外回来的领导，可以叫什么比较好? （　　　）

    A. 经理、某总　　　　　　　B. 头儿、老大

    C. 英文名　　　　　　　　　D. 哥、姐

（参考答案：(1) C、(2) D、(3) B、(4) C）

第三部分 ▶◀ 实用阅读

1 简历

jiǎnlì - CV

个人简历

求职意向：广州或深圳跨国贸易公司的销售或相关工作		
姓名：安斯朗	外文姓名：Alexander	
性别：男	年龄：25岁	照 片
国籍：意大利	健康状况：健康	
联系电话：13827683998		
通信地址：广州新港西路35号星月居A座501，530231		
E-mail：Anssilang@163.com		
教育背景：		

专　　业：国际经济与贸易
 	
   外语水平：流利的意大利语和英语，新汉语水平考试五级
 	
   学习经历：北京语言大学学习汉语一年，广州中山大学国际经济与贸易专业本科
毕业		

工作经历：		
2年意大利贸易公司工作经验，参加过2011年广交会		

注：广交会，Canton Fair，全称是中国进出口商品交易会，每年春秋两季举行，是中国最大规模的进出口商品交易会。

● **根据表格回答问题：**

这是一个外国留学生的简历，3人一组，用查读的方法，找一找下面问题的答案，看谁找得最快。

(1) 他是哪国人？

(2) 他学什么专业？

(3) 他在中国哪些地方学习过？

(4) 他会说几种语言？

(5) 他在哪里工作过？

(6) 他希望找什么样的工作？

2 应聘者材料比较

假设你是一个公司的老总，你想要招聘一位华南地区的销售经理。下面有几个应聘者的基本材料，请你根据招聘广告上的要求挑选合适的人选。

招聘

深圳富华贸易有限公司诚聘

市场销售部总经理一名

要求：30—40岁，
本科以上学历，
有8年以上相关工作经验，
有出色的沟通能力和管理能力，
男女不限。

有意者请把简历和身份证复印件寄到
深圳市江边工业区
松岗商务大厦B座15层人力资源部。
● 邮编：52000
● 联系人：徐小姐
● E-MAIL：xuying0423@fuhua.com.cn

A.	B.	C.	D.

王伟，40岁	杨宁，30岁	李英杰，35岁	杜平选，32岁
某公司广州区销售经理，有15年工作经验，专业是机械工程，为人稳重，善于交际，有一定的客户资源。	名牌大学本科毕业，商务英语专业，能讲流利的英语和标准的普通话。外貌甜美，性格开朗活泼。有8年销售工作经验。	英国柏林顿大学工商管理硕士（MBA），有多年海外和外企相关工作经验。已婚，有一个孩子。思维敏捷，有开拓能力。	普通大学本科毕业，一直在本公司工作，现在是销售部的代理经理，多年工作得到了上司和同事们的肯定，善于团队合作。
年薪期望：25万	年薪期望：15万	年薪期望：30万	年薪期望：20万

● **请你用略读的方法先看一遍材料，比较一下上面4个人的信息，并回答问题：**

(1) 最年轻的是谁？

(2) 教育背景最好的是谁？

(3) 经验最丰富的是谁？

(4) 在本公司工作的是谁？

● **课堂讨论：**

(1) 如果你希望找一个工作经验丰富的员工，你最可能选择谁？

(2) 如果你希望找一个能开拓新市场、给公司带来改变的员工，你最可能选择谁？

(3) 如果你是一家刚起步的小公司的老板，希望找一个年薪要求不那么高，又有一定经验的员工，你最可能选择谁？

3 面试通知

发件人：	深圳市富华贸易股份有限公司
收件人：	pingxu-01@yahoo.com.cn
主题	面试通知

深圳市富华贸易股份有限公司
面试通知

　许平　先生/小姐：

　　感谢您对我公司工作的支持！您应聘行政部职位的简历已通过初步审核，请您于2012年12月5日15：30时，备齐毕业证、身份证等相关证件，按指定的时间到公司1501会议室面试。

　　乘车路线：坐331路（或其他路线公交车）到松岗汽车站下车，在松岗松桥酒店旁坐中巴764路到江边工业区，松岗商务大厦B座15层，富华贸易股份有限公司。

　　如有不明之处，请与徐小姐联系，联系电话：0759-82305647。

人力资源部
2012年11月5日
深圳市富华贸易股份有限公司

● **根据短文选择正确答案:**

(1) 收件人应聘的是什么部门?（　　　）

　　A. 行政部　　　　　　　　　B. 人力资源部

(2) 去面试时应该带什么证件?（　　　）

　　A. 身份证、毕业证

　　B. 英语证书、计算机证书

　　C. 身份证、毕业证和所有相关证件

(3) 面试时间是（　　　）。

　　A. 2012年11月5日

　　B. 2012年12月5日

(4) 面试地点是（　　　）。

　　A. 松岗汽车站旁边的松桥酒店

　　B. 松岗商务大厦B座15层人力资源部

　　C. 松岗商务大厦B座15层1501会议室

(5) 如果有不明白的地方，应该和谁联系?（　　　）

　　A. 人力资源部　　　　　B. 徐小姐　　　　　C. 富华贸易公司前台

第四部分 ▶ ◀ 拓展阅读

1 70、80年代工作观大不同

　　近日，共青团广州市委对广州不同阶层的20世纪70、80年代出生的青年，做了一次生活态度大调查，调查针对不同年代的人的工作观。每个年龄群投放100份问卷，回收率达96%。调查结果显示，这两个年代出生的青年在工作观上呈现出较为明显的差别。"80后"认为加班意味没效率，"70后"觉得加班体现责任心。

　　"80后"特别反对加班，高达67%的"80后"受访者表示肯定不会为了工作牺牲节假日休息时间，不管加班酬劳是多少。只有20%的受访者表示偶尔会把没有完成的工作带回家。

　　"70后"是职场的"拼命三郎"，56%的"70后"受访者表示绝对听从老板命令，71%的受访者经常把没完成的工作带回家，48%的人会为了工作牺牲节假日休息时间，而且不计较加班酬劳。

　　Benny是某知名外企的销售人员，他所在的销售团队一共有19个人，其中7人是"80后"，12人是"70后"。身为"80后"，他感觉与"70后"同事最大的差别是："要加班时，他们会爽快地说'没问题'，我们就急着编各种不能加班的借口。"Benny认为，加班的感觉和小时候被留堂一样，"总之是发生在坏孩子身上的事，都令人感到羞愧。"他觉得："要加班就说明你工作效率不够高。"同为"80后"的Roy则认为加班不是一种健康的、值得提倡的生活方式，"以是不是加班来评价员工是不是敬业爱岗，是一种病态的评价方式。"

　　然而，"70后"程先生却觉得，"70后"对加班不那么反感，甚至愿意主动加班，是因为有更强的责任心和集体感。

● **根据文章判断对错：**
(1) 在中国70后是指1970年到1979年出生的人。（　　　）
(2) 这次调查是在中国多个大城市里进行的。（　　　）
(3) 这次调查一共投放了300份问卷。（　　　）
(4) 80后反对加班，是因为他们觉得加班的酬劳太低了。（　　　）
(5) 70后对工作特别认真。（　　　）

● **请你总结一下：**
70后对加班的看法
(1) _____
(2) _____
(3) _____

80后对加班的看法

(1) _____

(2) _____

(3) _____

● **课堂讨论：**

(1) 你比较赞同哪一代人的观点？你的工作观是什么？

(2) 在你们国家，不同年代出生的人是否存在工作观的区别？

2 北京老外招聘会火爆

10月27日上午，外国专家局为在华外国人举办招聘会，吸引了大量求职者。招聘会开始前一小时，各招聘展位前的通道已经挤满了人，为了等到一个现场面试机会，应聘者有时要等上七八分钟。

据外国专家局的杨佳萌小姐介绍，参加本次招聘会的公司机构有60家，根据网络注册情况看，前来应聘的外国人可能达到1500人。"但实际来的老外可能会多于这个数字。"

本次招聘会的应聘者以年轻人居多。"来参加招聘会找工作的还有来自天津、大连等地的外国人。"北京师范大学社会发展与公共政策学院的杨婷婷老师在现场告诉记者。

"我刚来中国三个月，这次想要找兼职或实习生的工作。但我看到大部分是招英语老师，我想再看看一些私企会不会有适合我的工作。"一位在中国社科院学习的丹麦留学生说道。

一位德国应聘者对记者说，她想在中国找和进出口有关的工作，她过去在德国有相关的工作经验，但像他们这样刚来中国几个月的非英语母语国家的人在中国找工作并不容易。

"与中国人相比，外国求职者的优势一是语言方面，二是与海外的联系方面，因为有些公司可能要在海外设分支机构。"杨小姐说。

杨小姐还说，自2008年奥运会以来，来中国就业的外国人越来越多。据官方统计，目前持工作签证在北京长期居住的外国人数已多达30万。

本次这样的招聘会外专局每年举行四次。目前外专局是中国唯一一家有资质办这类大型对外招聘会的机构。

1.	展位	zhǎnwèi	booth
2.	机构	jīgòu	institution; organization
3.	兼职	jiānzhí	part-time job
4.	实习生	shíxíshēng	intern
5.	私企	sīqǐ	private enterprises
6.	社科院	Shèkēyuàn	Academy of Social Sciences
7.	设	shè	establish
8.	分支	fēnzhī	branch
9.	官方	guānfāng	official
10.	资质	zīzhì	qualifications

● **根据文章回答问题：**

这是一则新闻。新闻最重要的是要找到以下信息：时间、地点、人物、事件。这些信息一般可以在标题和第一段找到答案。请你浏览第一段，快速完成以下练习：

(1) （　　　　）月（　　　　）日，在中国（　　　　），（　　　　）为在中国的外国人举办了（　　　　）。

(2) 参加招聘会的是什么人？人数多吗？

(3) 这次招聘会提供最多的职位是什么？

(4) 外国人和中国人相比有什么优势？

(5) 现在在北京工作的外国人大概有多少？

(6) 外国专家局每年大概有几次招聘外国人的招聘会？

(7) 除了外国专家局，还有其他机构可以举办这样的对外招聘会吗？

● **课堂讨论：**

你想在中国工作吗？你希望找什么样的工作？如果你想在中国工作，必须具备什么条件？

第 2 课

gōng sī shì wǒ jiā

公司是我家

热身问题:

1. 你知道一家公司需要哪些证件才能正常开展业务吗?
2. 你了解你所在的公司的基本情况吗?
3. 如果你要在批发网站上挑选供应商,应该注意哪些信息?
4. 你了解你的公司的企业文化吗?

第一部分▶ ◀图片阅读

1 营业执照1: 个体工商户

个体工商户营业执照

字 号 名 称	盐山县锦华钢管加工厂 注册号 13092560041674
经 营 者 姓 名	孙岩
组 成 形 式	个人经营
经 营 场 所	盐山县蒲洼工业园区
经营范围及方式	钢管加工（法律、行政法规、国务院禁止的不准经营,需专项审批的,在审批期限内经营,未审批的不准经营）***

执照有效期 自二〇〇八年十二月二日 发照机关 盐山县工商行政管理局
　　　　　　至二〇一一年十二月三十一日 　　　　　　二〇〇八年十二月二日

| 生 | 1. 个体 | gètí | individual |
| 词 | 2. 营业执照 | yíngyè zhízhào | business license |

● **根据图片回答问题：**

(1) 这个工厂主要经营什么业务？

(2) 这个工厂有几个投资者？

(3) 这个营业执照是由什么部门颁发的？

(4) 这个工厂执照何时过期？

(5) 这个工厂的老板是谁？

2 营业执照2：企业法人

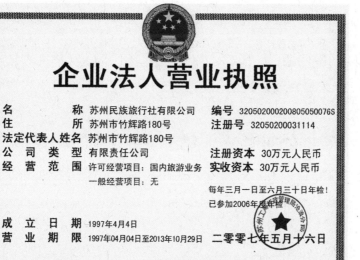

生	1. 法人	fǎrén	legal person
词	2. 有限责任公司	yǒuxiàn zérèn gōngsī	limited liability company
	3. 注册	zhùcè	register
	4. 资本	zīběn	capital

● **根据图片判断对错：**

(1) 这家旅行社是个人经营的。（   ）

(2) 这家旅行社可以开展国外的旅游业务。（   ）

(3) 这家旅行社2006年成立的。（   ）

(4) 这家旅行社需要每年接受检查。（   ）

3 税务登记证

税务登记证

纳 税 人 名 称　长春市冷面机总厂　　吉税字 220106723161641

法定代表人（负责人）　张凤振

地　　　　　址　绿园区青林路1724号

登 记 注 册 类 型　个人独资企业

经 营 范 围　加工销售冷面机、食品机械、厨房设备。汽车配件、开关柜、
电表箱、配电箱、文件柜

批 准 设 立 机 关　长春市工商行政管理局

纳税人编码：**220106020146**

二〇〇九年十月二十七日

● **根据图片回答问题：**

(1) 这个企业的名称是什么？

(2) 这个企业的法人叫什么名字？

(3) 这个税务登记证由哪个部门颁发？

4 进出口资格证书

中华人民共和国对外承包工程

经营资格证书

根据国家有关规定，经审核，同意持证
单位经营本证书登记范围内的对外承包工程业务。

中华人民共和国商务部

证书编号：2300200700133

中华人民共和国进出口企业

资格证书

CERTIFICATE OF APPROVAL

FOR ENTERPRISES WITH FOREIGN TRADE RIGHTS
IN THE PEOPLE'S REPUBLIC OF CHINA

进出口企业代码 2100223716623

批　准　文　号 [2009]外经贸政审换字

批　准　日　期　　2009年12月

发　证　日　期　　2009年06月2

生词	承包	chéngbāo	contract

● **根据图片回答问题：**

(1) 拥有左边的资格证书的企业可以从事什么业务？它是由哪个部门颁发的？

(2) 拥有右边的资格证书的企业可以对国外从事什么业务？它是由哪个部门颁发的？

● **课后活动：**

(1) 当你去逛商店或餐厅吃饭时，请注意看看，除了课文里提到的证书外，商店或餐厅里都摆放了哪些证书？证书上都写了些什么？

(2) 如果你想和一家公司合作，而你不知道该不该信任它，你应该查看它的哪些证件呢？

第二部分▶ ◀阅读技巧：猜词训练——偏旁分析

世界上大部分的文字都是拼音文字，汉字是唯一完整保留下来并广泛使用的象形文字。很多留学生觉得汉字难学、难记、难写，但其实汉字也有一定规律。我们现在常用的汉字大概3000字左右，只要掌握1000个左右的汉字就能认识报纸上90%以上的字，如果认识2500个左右的汉字，就能读懂报纸上99%的字。而且在汉字中，有90%以上的都是形声字，也就是说很多汉字可以分成两个部分，一个部件代表它的意思，而另一个部件代表它的声音。比如"清、请、情、晴"，左边的部分"氵、讠、忄、日"就是代表它们各自的意思，而"青"则代表它们的发音。汉字经过了几千年的发展，有些形旁和声旁都不太准确了。但是掌握一些常用的形旁，可以帮助我们把汉字归类，提高阅读水平。形旁大多在左边、上边、外边，而声旁大部分在右边、下边和里边。请看下面常见的例子：

(1) 氵——和水有关：江、河、海、流

(2) 冫——和冷有关：冷、冰、冻、凉

(3) 口——和嘴有关：吃、喝、吹、唱

(4) 日——和太阳有关：晴、晒、旦

(5) 月——和肉有关：背、肚、腿、脚

(6) 木——和树有关：林、森、松

(7) 饣——和食物有关：饮、饱、饿

(8) 钅——和金属有关：银、铁、钱

(9) 贝——和金钱、财物有关：财、费、贵

(10) 艹——和草有关：草、蓝、花

(11) 竹——和竹子有关：筷、篮、箱

(12) 扌——和手有关：打、推、拉

(13) 疒——和病有关：病、疾、疼、痛

(14) 衤——和衣服有关：衬、衫、裙、裤

(15) 纟——和丝线有关：丝、结、缠、绕

● **选出与画线部分意思相近的选项：**

(1) 本公司主要经营<u>缝纫机</u>、服装及辅料、纺织面料和各类纺织品。（　　）

　　A. 一种衣服　　　　　　B. 做衣服的机器

　　C. 衣服上的配件　　　　D. 刀子

(2) 因交货时间比合同规定晚了一天，公司不得不按违约进行<u>赔款</u>。（　　）

　　A. 向对方道歉

　　B. 重新发货

　　C. 因为自己的过错付给别人钱

　　D. 借钱

(3) 商业<u>贷款</u>比个人贷款的利率高得多。（　　）

　　A. 款式　　　　　　　　B. 买东西

　　C. 卖东西　　　　　　　D. 向银行借钱

(4) 该公司因为<u>贿赂</u>官员而被政府强制关闭。（　　）

　　A. 做坏事　　　　　　　B. 给别人钱或昂贵的礼物，让他帮自己做事情

C. 经营不善　　　　　　　D. 打人

(5) 中通达公司是一家刚成立不久的<u>物流</u>公司。（　　　）

　　A. 把东西从一个地方运送到另一个地方

　　B. 买卖货物

　　C. 批发

　　D. 轮船

（参考答案：(1) B　(2) C　(3) D　(4) B　(5) A）

第三部分 ▶◀ 实用阅读

提示：请用3分钟左右的时间完成一篇短文的阅读。

1 短文一

开始时间：＿＿＿＿　完成时间：＿＿＿＿

　　天地华宇是国家首批"AAAAA"级资质的物流企业，是全球领先的国际快递公司TNT快递在华全资子公司。1995年天地华宇成立于广州，总部设在上海。目前公司运营着中国最大的私营公路运输网络，在全国600个大中城市拥有57个货物转运中心、1600个营业网点、3000余台运输车辆和18000名员工。

　　TNT快递是全球领先的快递服务供应商，为企业和个人客户提供全方位的快递服务。通过其在全球200多个国家的近2600个运营中心、转运枢纽以及分捡中心，平均每周在全球递送470万个包裹、文件和货件。TNT快递在欧洲、中国、南美、亚太和中东地区拥有航空和公路运输网络。公司拥有83000名员工，30000辆公路运输车辆和50架飞机。2010年TNT国际快递的营业收入为70.53亿欧元。

	1. 全资	quánzī	wholly-owned
	2. 子公司	zǐgōngsī	subsidiary
	3. 私营	sīyíng	privately-owned
	4. 转运	zhuǎnyùn	transfer
	5. 供应商	gōngyìngshāng	supplier
	6. 全方位	quánfāngwèi	comprehensive
	7. 枢纽	shūniǔ	hub
	8. 分拣中心	fēnjiǎn zhōngxīn	sorting centers

● **根据短文判断对错：**

F (1) 天地华宇是中国一家国有企业。（ F ）

T (2) 天地华宇公司第一家公司在上海。（ F ）

T (3) 天地华宇是TNT快递公司在中国的子公司。（ T ）

T (4) TNT公司拥有自己的飞机。（ T ）

F (5) 天地华宇公司在中国拥有最大的私营公路运输网络。（ ）

2 短文二

开始时间：_____ 完成时间：_____

　　广东省广新外贸集团是2000年6月由广东省人民政府授权经营的国有大型企业，是广东省最大的外贸集团。2007年，集团销售收入达450亿元，进出口总额超40亿美元，年创税近20亿元。集团在2007年国家统计局公布的全国500强大型企业集团中排名第94位，在广东企业100强中排名第11位。2007年集团获得"全国五一劳动奖状"。集团董事长欧广被评为"2007广东十大经济风云人物"。集团的产品销往世界200多个国家和地区，遍及五大洲，经营商品1万多种，拥有多个享有较高国际商誉的企业品牌，如"省机械"、"省食品"、"省轻工"等，商品品牌有"珠江桥"（食品）、"庄姿妮"（服装）、"鹦鹉"（轻工）、"帆船"（土产）、"五羊"

（矿产）、"羊城"（中成药）以及"三角"、"红棉"等，成功实现了品牌经营的战略方针。

生词			
1.	授权	shòuquán	authorize
2.	集团	jítuán	group
3.	董事长	dǒngshìzhǎng	chairman of the board
4.	销	xiāo	sell
5.	遍及	biànjí	throughout
6.	商誉	shāngyù	goodwill / business reputation gain
7.	轻工	qīnggōng	light industry
8.	土产	tǔchǎn	local product
9.	矿产	kuàngchǎn	mineral product
10.	战略	zhànlüè	strategy
11.	方针	fāngzhēn	policy; guiding principle

● **根据短文选择正确答案：**

(1) 广新外贸集团是什么性质的企业？（ B ）

　　A. 国有小型企业　　　　　B. 国有大型企业

　　C. 私有小型企业　　　　　D. 私有大型企业

(2) 2007年广新集团公司向国家交纳了多少税？（　　）

　　A. 450亿　　　　　　　　B. 40亿

　　C. 超过20亿　　　　　　　D. 差不多20亿

(3) 2007年，广新在广东省的企业排名是多少？（　　）

　　A. 500强　　B. 100强　　C. 94位　　D. 11位

(4) 集团的董事长是谁？（　　）

　　A. 庄姿妮　　B. 欧广　　C. 鹦鹉　　D. 红棉

(5) 下面哪个品牌是卖吃的东西的？（　　）

　　A. 珠江桥　　B. 五羊　　C. 鹦鹉　　D. 三角

3 短文三

新新丽服饰有限公司是一家集专业牛仔服饰设计、开发、生产、营销于一体的国际外贸牛仔服饰公司。公司位于中国最大的牛仔生产基地——广东。公司主要经营时尚女装牛仔服，设计、生产、销售各种牛仔长裤、短裤、中筒裤、牛仔裙、牛仔上衣及各类休闲服饰。公司旗下品牌包括：品牌"L.STYLE"、"L.JEANS"、"DANE"、"东方力神"。

公司自1988年从事牛仔服饰经营以来，一直以优质的面料和最新的款式投放市场，不仅致力于服装面料和款式的开发，而且投资引进大量国外先进的洗水、印染、制衣等生产设备。公司拥有世界先进工艺的生产流水线，具备年产量500万件以上的生产能力。经过二十多年的经营和管理，公司规模不断扩大，拥有专业一流的牛仔设计团队、高素质的管理人员、技术人员和熟练的技术工人，产品远销美国、法国、英国、巴黎、瑞士、意大利、俄罗斯、波兰、匈牙利、西班牙等几十个国家。

1.	开发	kāifā	develop
2.	营销	yíngxiāo	marketing
3.	基地	jīdì	base
4.	旗下	qíxià	subordinate
5.	面料	miànliào	fabric
6.	引进	yǐnjìn	introduce
7.	设备	shèbèi	equipment
8.	工艺	gōngyì	technology
9.	流水线	liúshuǐxiàn	assembly line
10.	年产量	niánchǎnliàng	annual output
11.	规模	guīmó	scale; scope
12.	素质	sùzhì	quality

● **根据短文回答问题：**

(1) 这家服饰有限公司主要生产什么样的服装？

(2) 这家公司是以生产男装为主还是女装为主？

(3) 这家公司有几个下属的品牌？

(4) 这家公司是什么时候成立的？

(5) 这家公司每年可以生产多少件衣服？

第四部分▶ ◀拓展阅读

1 如何了解供应商的信用资质

买家在阿里巴巴网站上要了解供应商的信用资质，可以通过以下几个方面进行查看：

(1) 是否是诚信通会员；

(2) 是否加入诚信保障服务；

(3) 是否支持支付宝支付。

在阿里巴巴网站挑选供应商，建议您优先选择诚信通会员。通过权威认证的诚信通会员，在网站搜索结果中、阿里巴巴名片以及网上店铺内，都有专门的诚信通标志。而普通会员没有经过认证，买家无法判断对方的信息是否真实。

目前诚信通的信用体系包括如下几个主要组成部分：

信用体系	信用查询	买家可随时随地通过网络或手机短信查询卖家的诚信档案，了解您的信用状况，彻底打破买卖双方信任瓶颈；
	诚信保障服务	阿里巴巴商业信用体系的核心服务之一，诚信通会员可通过预缴诚信保障金的方式对交易进行保障；
	诚信档案	资质认证：卖家获得第三方认证机构对企业经营资质或身份（个人会员）的核实，获得买家信任； 投诉机制：有效的投诉机制和基于事实的处理流程，让交易无后顾无忧； 证书荣誉：将企业的证书、荣誉上网展示，彰显公司实力。

生词	1. 诚信	chéngxìn	credibility and integrity
	2. 保障	bǎozhàng	guarantee
	3. 支付	zhīfù	pay; payment
	4. 认证	rènzhèng	authenticate
	5. 预缴	yùjiǎo	prepay
	6. 第三方	dìsānfāng	third-party
	7. 核实	héshí	verify
	8. 投诉	tóusù	complain

● **根据上述内容，请你看看下图"惠安县鞋业有限公司"的有关信息，并回答问题：**

(1) 这家公司是普通会员还是诚信通会员？

(2) 它交纳了多少诚信保障金？

(3) 它是哪一年完成工商注册的？注册资本是多少？

(4) 它主要经营什么产品？

(5) 它通过了哪个第三方机构的认证？

(6) 这个企业是什么类型的企业？

□ **惠安县铁豹鞋业有限公司**　　　**诚信通会员**
主营产品：女鞋　　　　　　　　担保2000元

企业实名认证

工商注册信息

公司名称：惠安县铁豹鞋业有限公司

地址：福建省惠安县东园镇琅山村

注册资本：人民币198万元

成立日期：1997年06月04日

企业类型：有限责任公司

以上信息通过第三方机构认证

审核机构：中贸远大

认证时间：2011年

● **课堂活动：**

请你到阿里巴巴（中国站）上选择一种商品（如：女鞋），找几家公司，对比一下，看看它们的企业介绍和诚信档案，说说你更相信哪家企业？为什么？你是从哪方面考虑的？（如：有无第三方认证？注册资金多少？是否是诚信通会员？）

2　家庭式企业文化

派对上，每位客人都戴着五颜六色的派对帽子，兴奋地期待着主角的来临。大门一开，大家齐声同喊："大王，祝你生日快乐！"这个派对并非大王的家人为他安排的，亦非他的朋友为他举行，而是他公司的同事和上司们为他的生日庆祝。而在北京的另一个角落，一支"婚礼布置队"正在努力为一位同事布置当天的婚礼。还有一些公司，员工可能正在收拾行李，兴奋地为公司组织的旅游做准备。

中国企业似乎比西方企业更注重以家庭的形式来塑造一个温暖、亲密的工作环境，以培养和加深员工之间的良好关系。这并不是说西方企业完全缺乏亲密、友善的工作气氛和紧密的员工关系，而是因为大多数的西方公司更重视促进工作效率，而不是员工团结。他们的关系大多限于工作上的需要，在工作范围以外，他们之间的关系缺乏中国员工之间的亲切感。

中国企业家庭式的内部管理方式，也许根源于中国的传统文化。中国传统的工商企业都是家族生意。即使在七十年代的中国，计划经济体制使员工之间互为亲戚或者是同乡的情况较为少见，但因为国家提倡"团结互助"的精神，再加上中国工商业家庭化的传统，员工仍然不难感受到同事之间的互爱和企业对员工的关怀。一位工厂员工说，当时每家工厂必定设一个托儿所，以免员工上班时为家里孩子担忧；如果有同事生病，其他同事会煲汤药，祝愿他早日康复；每年秋天，厂长会与员工一起到田园采摘苹果，共享欢乐。

如今，中国企业仍然保留着团结互助的精神。光大银行一位高级经理说，公司不但一年安排数次集体旅行，而且每逢周末，还会举办部门运动比赛。这些活动不但受公司高层的欢迎，员工的出席率也颇高。比赛气氛热闹激烈，使得员工乐而忘返。随着中国经济的市场化，中国企业不断向国外的现代化企业学习唯独在企业文化上仍然保留着中国传统的家庭关系。

1.	亦	yì	also
2.	塑造	sùzào	mould
3.	气氛	qìfēn	atmosphere
4.	限于	xiànyú	be limited to
5.	根源	gēnyuán	source; root
6.	以免	yǐmiǎn	in order to avoid
7.	煲	bāo	stew
8.	乐而忘返	lè'ér wàngfǎn	enjoy oneself so much that one doesn't want to come back
9.	诸多	zhūduō	many; a lot of
10.	唯独	wéidú	only

● **根据文章选择正确答案：**

(1) 文章第一段提到的大王的生日派对是谁安排的？（　　）

A. 家人　　　　　　　　　B. 朋友

C. 公司同事、上司　　　　D. 下属员工

(2) 根据文章内容，关于中国企业和西方企业文化说法错误的是（　　）。

A. 和中国企业相比，西方企业缺乏亲密、友善的工作气氛和员工关系

B. 中国企业喜欢家庭式的管理形式，希望培养员工间的良好关系

C. 西方企业注重提高工作效率，而中国企业提倡员工团结

D. 西方企业员工之间的关系一般只是工作需要，工作之外没什么亲密的联系

(3) 中国企业家庭式的管理方式源于什么？（　　）

A. 计划经济时代的传统

B. 中国的传统文化

C. 儒家文化

D. 学习西方文化

(4) 在七十年代的中国，中国企业为什么仍然会维持家庭式管理方式？（　　）

　　A. 员工很多是亲戚

　　B. 员工很多是同乡

　　C. 国家提倡团结，提倡员工互爱和企业对员工的关怀

　　D. 中国实行计划经济

(5) 在现代社会，中国企业仍然保持团结互助精神的表现有哪些？（　　）

　　A. 每个企业必定开办幼儿园，以免员工工作时为孩子担忧

　　B. 厂长每年到田园采摘苹果与员工共同分享

　　C. 公司旅行和部门运动会比赛

　　D. 员工在企业工作乐而忘返

● **课堂讨论：**

(1) 在你们国家，你们会不会为同事、上司庆祝生日或准备结婚典礼？会不会经常和公司的人一起去旅行？

(2) 你们国家的企业更看重工作效率还是员工之间的团结互助？

(3) 你觉得中西方的这两种不同的企业文化各有什么利弊？你更喜欢哪种企业文化？

第 **3** 课

tóng shì sān fēn qīn
同事三分亲

热身问题：

1. 你知道公司里一般会设置什么部门吗？它们各自的职责是什么？
2. 你了解中国人行为处事的特点吗？在中国公司里工作，你应该怎样处理和同事、上下级之间的关系？
3. 在工作之余，你可以和同事聊什么话题？或者一起参加什么活动？
4. 除了工资、奖金外，你了解公司还有哪些福利吗？

第一部分▶ ◀图片阅读

1 工作证

A.

B.

● **根据图片回答问题：**

(1)　这两个人的名字分别是什么？

(2)　这两个人的职务是什么？

(3)　他们分别在公司什么部门工作？

(4)　如果你是一名新入职的员工，你应该如何称呼这两个人？

2　公司指示牌

A.

4F	董事长办公室 Chairman Office
3F	财务部　人事部　销售部 Financial Personnel Sales
2F	技术部 Engineering Dept.
1F	制造部 Manufacturing Dept.

B.

3F

302	财务部	Financial Dept
303	会议室	Meeting Room
305	销售部	Sales Dept
306	卫生间	W.C
307	人事部	Personnel Dept
308	经理部	Manager Office

● **在电梯里你看到A图，根据A图回答问题：**

(1)　如果你要找董事长，你应该去（　　　）楼。

(2)　如果你要应聘，你应该去（　　　）楼。

(3)　如果你要向这家公司收款，你应该去（　　　）楼。

(4)　如果你想买这家公司的产品，你应该去（　　　）楼。

● **到了3楼，你看到B图，根据B图回答问题：**

(5)　如果你要找经理，你应该去（　　　）室。

(6)　如果你要开会，应该去（　　　）室。

(7)　如果你要收款，应该去（　　　）室。

3 公司结构图

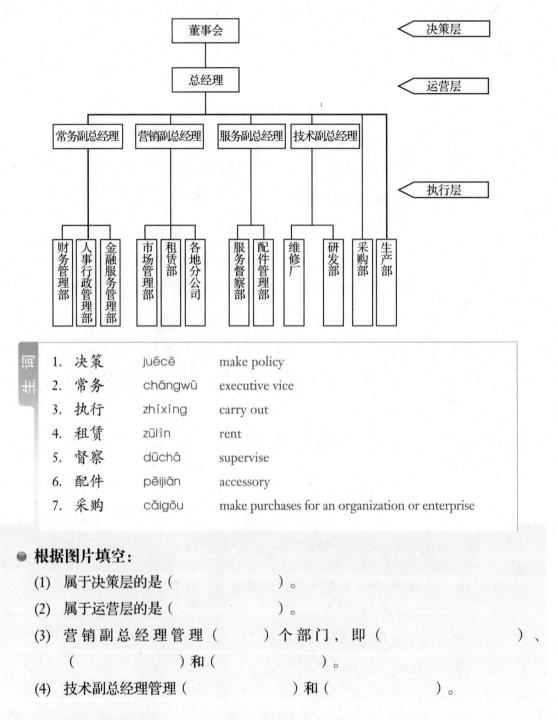

生词	1. 决策	juécè	make policy
	2. 常务	chángwù	executive vice
	3. 执行	zhíxíng	carry out
	4. 租赁	zūlìn	rent
	5. 督察	dūchá	supervise
	6. 配件	pèijiàn	accessory
	7. 采购	cǎigòu	make purchases for an organization or enterprise

● **根据图片填空：**

(1) 属于决策层的是（　　　　　　　　）。

(2) 属于运营层的是（　　　　　　　　）。

(3) 营销副总经理管理（　　　）个部门，即（　　　　　　　　）、
　　（　　　　　　　）和（　　　　　　　）。

(4) 技术副总经理管理（　　　　　　　）和（　　　　　　　）。

● **根据图片回答问题：**

(1) 发工资应该找哪个部门？

(2) 招聘新员工应该找哪个部门？

(3) 开发新产品是哪个部门的工作?

(4) 推销公司的产品是哪个部门的工作?

(5) 如果生产产品的原材料不够, 应该找哪个部门?

第二部分▶ ◀阅读技巧: 猜词训练——语素猜词

现代汉语中大部分的词是双音节或多音节的合成词 (即由两个以上有意义的语素合起来构成的词), 单音节或者多音节的单纯词 (即只有一个语素) 都比较少。

常见的单纯词有:

单音节: 江、河、水、喝、打、多、少

双音节或多音节: 蝴蝶、玫瑰、巧克力、罗曼蒂克

常见的合成词有:

联合式 (coordinative): 道路、美丽、墙壁、生产、妻子、国家、开关、山河、手足

偏正式 (modifier-head): 书架、电灯、黑板、铁路、火车、纸币

动宾式 (predict-object): 关心、动人、伤心、带头、满意

动补式 (predict-complement): 改正、说明、打倒、降低、提高

主谓式 (sudject-predicate): 头疼、眼花、口吃、心细、性急、肉麻

汉语里合成词的构成方式和词组、句子的构成方式是一样的, 由于汉语的一个汉字往往就代表一个语素, 因此学会了汉字的基本意思, 就能够把它们组合成许多新的词或词组, 如:

车: 车站 车票 车库 车道 开车 试车 修车 坐车 借车

进入中级阶段的汉语学习, 我们会发现近义词越来越多。这些近义词

在意义和用法上的细微差别往往也和汉字本身的含义有着很大的关系。利用汉字合成词的知识，可以帮助我们在阅读中提高理解能力，猜出生词的大概意思。

第三部分▶ ◀实用阅读

1 关于公司组织员工户外活动的通知

夏日来袭，为了丰富员工的业余活动，<u>缓解</u>员工工作<u>压力</u>，让员工在工作之余享受自然风光，给大家一个彻底放松的机会，公司计划在5月26日组织全体员工外出旅游活动。

一、旅游时间：5月26日。

二、旅游地点：惠州大亚湾。

三、注意事项：车程大概一个多小时，请大家做好预防晕车的准备。海边阳光猛烈，请大家带好防晒用品。需要游泳的同事需自备泳衣、泳裤。旅游期间请听从安排，注意人身及财产安全。

四、具体行程安排详见公司公告栏。

行政部

2012年5月24日

生词			
1.	袭	xí	come
2.	缓解	huǎnjiě	ease
3.	事项	shìxiàng	item
4.	预防	yùfáng	prevent

● **根据短文猜猜下面这些词的意思：**

(1) 车程：_____

(2) 晕车：_____

(3) 猛烈：_____

(4) 防晒：_____

(5) 人身安全：_____

(6) 公告栏：_____

● **根据短文回答问题：**

(1) 这个通知是哪个部门发出的？

(2) 活动的时间是什么时候？

(3) 这次活动准备去哪里？

● **课堂讨论：**

(1) 除了组织旅游外，在你们国家，公司里还常常会举办哪些活动？

(2) 你觉得这样做有哪些好处？（提示：同事间的关系；员工对公司的归属感和幸福感）

2　同事关系

处理好同事关系，在礼仪方面应注意以下几点：

尊重同事

相互尊重是处理好任何一种人际关系的基础，同事关系也不例外。同事关系不同于亲友关系，它不是以亲情为纽带的社会关系。亲友之间一时的失礼，可以用亲情来弥补，而同事之间的关系是以工作为纽带的，一旦失礼，创伤难以愈合。所以，处理好同事之间的关系，最重要的是尊重对方。

物质往来一清二楚

同事之间可能有相互借钱、借物或馈赠礼品等物质上的往来，但切忌马虎，每一项都应记得清楚明白，即使是小的款项，也应记在备忘录上，提醒自己及时归还，以免遗忘而引起误会。向同事借钱、借物，应主动给对方打张借条，以增进同事对自己的信任。有时，借出者也可主动要求借入者打借条，这并不过分，借入者应予以理解。如果所借钱物不能及时归还，应提前向对方说明情况。在物质利益方面无论是有意或者无意地占对方的便宜，都会使对方感到不快，从而降低自己在对方心目中的地位。

不在背后议论同事的隐私

每个人都有隐私，隐私与个人的名誉密切相关。背后议论他人的隐私，会损害他人的名誉，引起双方关系的紧张甚至恶化，因而是一种不光彩的、有害的行为。要和同事处好关系，就切记不要在背后议论他人的隐私。

1.	纽带	niǔdài	link
2.	失礼	shīlǐ	discourtesy; impoliteness
3.	弥补	míbǔ	compensate
4.	愈合	yùhé	heal
5.	物质	wùzhì	material
6.	切忌	qièjì	avoid by all means
7.	借条	jiètiáo	receipt for a loan
8.	占…便宜	zhàn… piányi	profit as other's expense
9.	隐私	yǐnsī	privacy
10.	不光彩的	bù guāngcǎide	disgraced

● **根据短文填空：**

(1) 同事关系的纽带是（　　　　　），亲友关系的纽带是（　　　　　）。

(2) 如果向同事借钱、借东西，应该主动向对方（　　　　　）。

(3) 背后议论他人的隐私，会损害他人的（　　　　　）。

● **根据短文猜猜这几个词或词组在文章中的意思：**

(1) 例外：＿＿＿＿＿＿＿＿＿＿＿＿＿＿＿＿＿

(2) 创伤：＿＿＿＿＿＿＿＿＿＿＿＿＿＿＿＿＿

(3) 馈赠：＿＿＿＿＿＿＿＿＿＿＿＿＿＿＿＿＿

(4) 备忘录: _____
(5) 遗忘: _____
(6) 名誉: _____
(7) 恶化: _____

3 中国的等级观念

　　中国是一个注重权力等级的国家，老板就是老板，无论你们相处得如何，无论你是否喜欢他办事的方式，反正你就得听老板的。如果是你分内的工作，你可以做。如果不是你分内的工作，你就不用管。如果你管了闲事，你的努力也未必会得到承认。

　　而美国人在这方面是另一种态度。弗吉尼亚·卡琴女士是TSC公司的主任。她曾经在美中商会做过义工，并且在中国银行纽约分行工作过。卡琴说："在像美国这样等级观念比较弱的国家，我们可以向权威提出质疑，我们可以冲着老板大声喊叫。如果警察在马路上给我们开罚单，我们也可以质问警察。"

　　卡琴认为，中国人重视权力差距一是由于中国五千年的封建历史等级观念；二是因为受到孔孟之道的影响，做事循规蹈矩，不越雷池一步。但是，卡琴指出，权力差距在中国的经济领域正在缩小。人们由于经济地位的提高，个人主义思想也在上升，敢于对老板说"不"的人数正在增多。

1.	分内	fènnèi	one's job
2.	义工	yìgōng	volunteer
3.	权威	quánwēi	authority
4.	孔孟之道	Kǒng Mèng zhī dào	the doctrine of Confucius and Mencius
5.	循规蹈矩	xúnguī dǎojǔ	behave in a fit and proper way
6.	越雷池	yuè léichí	behave out of the bound

● **根据短文判断正误：**

(1) 在中国，如果老板没要求你做的工作，你却做了，你会得到额外的奖励。

（   ）

(2) 在中国，不管员工认为老板的决定是对还是错，人们一般都按老板说的做。

（   ）

(3) 美国人的等级观念没有中国人这么强。（   ）

(4) 现在的中国人比古代更重视权力差距。（   ）

● **根据短文，猜猜这几个词或词组的意思：**

(1) 管闲事：＿＿＿＿＿＿＿＿＿＿＿＿＿＿＿＿＿＿＿＿＿＿＿

(2) 质疑：＿＿＿＿＿＿＿＿＿＿＿＿＿＿＿＿＿＿＿＿＿＿＿＿＿

(3) 质问：＿＿＿＿＿＿＿＿＿＿＿＿＿＿＿＿＿＿＿＿＿＿＿＿＿

(4) 循规蹈矩：＿＿＿＿＿＿＿＿＿＿＿＿＿＿＿＿＿＿＿＿＿＿＿

第四部分▶ ◀拓展阅读

1 中美同事关系的差异

中国人和美国人对同事这种社会关系的认识不同。中国同事之间的关系不单纯是工作关系，也常常带有私人关系的成分。美国公司，特别是大公司里，同事就是和你一起工作的人，职业生活和个人生活的界限很清楚，绝对没有把工作关系变成私人关系的社会压力。

在外企工作的年轻人可能愿意和同事保持一定的距离，但在很多中国公司里，办公室既是工作场所也是社交空间。同事除了一起工作外，下班后一起吃饭、喝酒、唱卡拉OK是常有的事。总不去的人会被认为不合群。同事们一见面就会谈到最私人的话题：哪里人，父母做什么，哪所大学毕业，结婚了没有，孩子几岁，上哪所学校。近几年话题更是少不得包括在哪里买房，多少钱，甚至投资了哪些股票基金等等。

我想不出我对哪位美国同事有这么知根知底。除非他们主动告诉我，否则即便是关系很近的同事，我也不知道他们年薪具体多少，上次总统大选投了谁的票，属于哪个教派。

美国公司里同事之间最主要的、多数情况下唯一的关系就是工作关系，工作外的接触是有的，但不是必须的。已经成家的人下班后都匆匆往家里赶。对他们来说，和家人一起吃晚饭，陪孩子打球、看书是头等大事。即便到酒吧喝酒一般也是有缘由的，比如有人离职、晋升或搬迁。你不参加也不用顾虑别人怎么想，因为下班后的时间是你自己的，怎么支配是你个人的事。

但这并不是说美国同事之间没有交流，甚至不会做朋友。一般来说，公司越大，同事间的交往越少，小公司反而更有人情味。年底时一些公司会举办大型酒会。有些办公室每个月会举办一次生日会，大家围在一起吃蛋糕，唱生日歌。我办公室里常有同事带来自己做的甜点或休假时买的外地特产供大家分享。关系好的同事会变成朋友，周末一起吃饭、休闲。单身的同事下班后到酒吧里喝几杯也是常有的事。

	1.	界限	jièxiàn	boundary
生词	2.	社交	shèjiāo	social relationship
	3.	空间	kōngjiān	space
	4.	合群	héqún	get on with others
	5.	教派	jiàopài	religion group
	6.	接触	jiēchù	contact
	7.	晋升	jìnshēng	promotion
	8.	支配	zhīpèi	dominate
	9.	特产	tèchǎn	local specialty

● **根据文章判断对错：**

(1) 中国的同事关系既有工作关系，常常也有私人关系。（　　　）

(2) 美国的职业生活和个人生活界限很清楚。（　　　）

(3) 在中国外企工作的年轻人,下班后常常一起吃饭、喝酒、唱卡拉OK。（　　）

(4) 在中国同事之间聊结婚、父母职业、孩子、装修、投资是不礼貌的话题。

（　　）

(5) 在美国的一些小公司里,常常会有生日会、酒会,同事间的关系比较好。

（　　）

● **根据文章猜猜这些词的意思:**

(1) 知根知底: _____

(2) 成家: _____

(3) 缘由: _____

(4) 顾虑: _____

(5) 人情味: _____

● **课堂讨论:**

(1) 在你们国家,同事之间的关系怎么样?

(2) 你喜欢同事的关系亲密一些吗? 你觉得跟同事关系亲密有什么好处? 会带来哪些压力?

(3) 在你们国家,同事之间可以讨论的话题包括哪些? 哪些是绝对不能讨论的?

(4) 在你们国家,下班后同事们会不会经常聚会? 如果有,经常做什么? 如果没有,下班后他们经常做什么?

2 你知道"杜拉拉"吗?

　　谋生的方式很多,有人适合自己做老板,更多的人需要给别人打工。

　　无论是自己做老板还是打工,都要处理很多关系,比如上司、下属、同级、客户。 可能你干了很多活儿,上司却不待见你;没准你有个本事不大、脾气不小的下属;也许你的平级争风吃醋、不怀好意;或者你的客户态度傲慢。如果你要很好地完成任务,就要设法摆平他们。

　　《杜拉拉升职记》是一本纯属虚构的小说,你可以把它作为消遣来阅读,也可以把它当作职场实用手册来使用。

　　《杜拉拉升职记》的主人公杜拉拉是典型的<u>中产阶级</u>的代表。她没有背景，受过较好的教育，靠个人奋斗获取成功。对于大部分人来说，她的故事比比尔·盖茨的更值得参考，因为她的所作所为有更大的可行性。小说中杜拉拉在外企工作了八年，从一个朴实的行政助理，成长为一个专业、干练的人事经理，见识了职场变迁，也经历了磨炼。现在的杜拉拉，已成为职场成功人士的代表，成为许多正在社会拼搏的年轻人的偶像。

1.	待见	dàijiàn	like
2.	没准	méizhǔn	probably
3.	争风吃醋	zhēngfēng chīcù	be jealous
4.	摆平	bǎipíng	settle down
5.	消遣	xiāoqiǎn	pastime
6.	主人公	zhǔréngōng	protagonist
7.	朴实	pǔshí	simple; plain
8.	干练	gànliàn	capable and experienced
9.	磨炼	móliàn	temper oneself
10.	偶像	ǒuxiàng	model

● **根据文章选择正确答案：**

(1) 请你猜猜"谋生"是什么意思？（　　　）

　　A. 开公司

　　B. 打工

　　C. 自己当老板

　　D. 想办法让自己的生活能够维持下去

(2) 请你猜猜"不怀好意"是什么意思？（　　　）

　　A. 没有想到好主意　　　　　　　　B. 对别人打坏主意

　　C. 身体不好　　　　　　　　　　　D. 没有好的目标

(3) 请你猜猜"纯属虚构"是什么意思？（　　　）

　　A. 完全是想象出来的　　　　　　　B. 有部分是想象出来的

　　C. 完全是根据真实生活创造的　　　D. 有部分是根据真实生活创造的

(4) 请你猜猜"中产阶级"是什么意思？（　　　）

　　A. 中等收入人群　　　　　　　　　B. 低收入人群

C. 高收入人群　　　　　　D. 没有背景、靠自己奋斗成功的人群

● **根据文章回答下面的问题：**

(1)　谋生有哪两种类型？

(2)　在工作的时候你要处理哪些关系？

(3)　杜拉拉是个什么样的人物？她的工作是什么？她工作了多久？

● **课外活动：**

请你看看《杜拉拉升职记》的小说、电影或者电视剧，在你的微博或者博客上谈谈你的看法。

第 **4** 课

qǐ yè péi xùn
企业培训

热身问题

1. 你了解你的公司吗？说说你心目中理想的企业文化和形象是什么样的。
2. 你认为一个公司的员工应该具备哪些基本技能？
3. 在熟悉工作之后，你希望公司给你提供什么样的培训和提升的机会？

第一部分 ▶ ◀ 图片阅读

1 入职培训

● **根据图片选择正确答案：**

(1) 教你如何与同事、上司、下属相处的课程应该

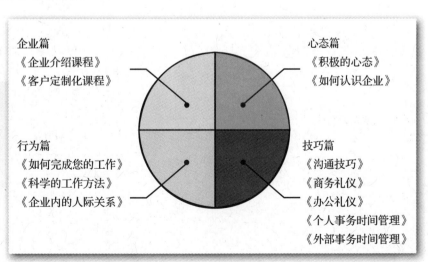

企业篇
《企业介绍课程》
《客户定制化课程》

心态篇
《积极的心态》
《如何认识企业》

行为篇
《如何完成您的工作》
《科学的工作方法》
《企业内的人际关系》

技巧篇
《沟通技巧》
《商务礼仪》
《办公礼仪》
《个人事务时间管理》
《外部事务时间管理》

47

是？（多选）（　　）

A. 积极的心态　　　　　　　B. 沟通技巧

C. 办公礼仪　　　　　　　　D. 企业内的人际关系

(2) 向你介绍公司的历史、企业文化的课程应该是？（　　）

A. 企业介绍课程　　　　　　B. 如何认识企业

C. 客户定制化课程　　　　　D. 企业内的人际关系

(3) 教你如何有效利用时间，做好工作计划，安排好工作先后顺序的课程应该是？（　　）

A. 如何完成您的工作　　　　B. 个人事务时间管理和外部事务时间管理

C. 积极的心态　　　　　　　D. 商务礼仪

● **课堂活动：**

请你在上图里感兴趣的课程上打勾，并与你的同伴谈一谈，这些课程的内容可能是什么？为什么你对这些课程感兴趣？

2 薪酬构成和福利

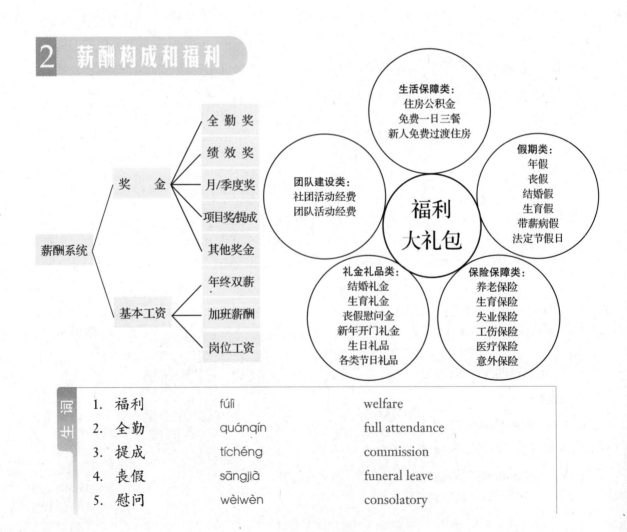

生 词			
1.	福利	fúlì	welfare
2.	全勤	quánqín	full attendance
3.	提成	tíchéng	commission
4.	丧假	sāngjià	funeral leave
5.	慰问	wèiwèn	consolatory

● **根据图片选择正确答案：**

(1) 如果你从来没有迟到或者早退，你可以得到什么奖金？（　　　）

　　A. 全勤奖　　　　B. 绩效奖　　　C. 月/季度奖　　　D. 其他奖金

(2) 如果你平时的基本工资是2000元，一年的最后一个月，你可以得到多少基本工资？（　　　）

　　A. 2000　　　　B. 3000　　　　C. 4000　　　　D. 不清楚

(3) 如果你争取到了一个大客户的合同，为公司拿到了100万元的大订单，你可以得到什么奖金？（　　　）

　　A. 全勤奖　　　　B. 绩效奖　　　C. 月/季度奖　　　D. 项目奖/提成

(4) 如果你有亲人去世了，你可以享受哪些福利？（多选）（　　　）

　　A. 年假　　　　B. 丧假　　　C. 丧假慰问金　　　D. 带薪病假

(5) 如果你刚到公司，没房子住，你可以申请什么福利？（多选）（　　　）

　　A. 住房公积金　　　　　　B. 免费过渡住房

　　C. 住房补贴　　　　　　　D. 低价出租的房子

(6) 哪些情况下，公司会给你礼金表示祝贺或慰问？（多选）（　　　）

　　A. 结婚　　　　　　　　　B. 生孩子

　　C. 亲人去世　　　　　　　D. 生病

　　E. 新年第一天上班　　　　F. 生日

　　G. 节日

(7) 如果全体员工想举办足球比赛，可以向公司申请什么样的福利？（　　　）

　　A. 医疗保险　　　　　　　B. 意外保险

　　C. 社团活动经费　　　　　D. 团队活动经费

● **课堂讨论：**

在你们国家企业一般有哪些福利？你最喜欢哪种福利？

3 职业培训

生词			
1.	强化	qiánghuà	strengthen; intensify
2.	卖点	màidiǎn	selling point
3.	考评	kǎopíng	evaluation

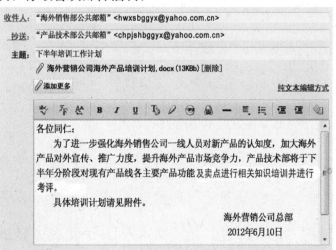

收件人："海外销售部公共邮箱" <hwxsbggyx@yahoo.com.cn>

抄送："产品技术部公共邮箱" <chpjshbggyx@yahoo.com.cn>

主题：下半年培训工作计划

海外营销公司海外产品培训计划.docx（13KBb）[删除]

添加更多　　　　　　　　　　　　　　纯文本编辑方式

各位同仁：

　　为了进一步强化海外销售公司一线人员对新产品的认知度，加大海外产品对外宣传、推广力度，提升海外产品市场竞争力，产品技术部将于下半年分阶段对现有产品线各主要产品功能及卖点进行相关知识培训并进行考评。

　　具体培训计划请见附件。

海外营销公司总部

2012年6月10日

● **请根据图片回答问题：**

(1) 发件人是哪个部门？

(2) 收到邮件的是哪个部门？

(3) 培训的目的是什么？

(4) 培训的内容是什么？

(5) 培训是一次性完成吗？

(6) 除了培训还会进行什么活动？

第二部分▶ ◀阅读技巧：猜词训练——简称

汉语和英语都有把长的词或词组缩成短的词或词组的习惯，如英语中的WTO（世界贸易组织），汉语中的"北大"（北京大学）等。但是在汉语中词组缩减的方法有很多种，我们简单介绍几种：

一、省略

"省略"是指用原来词语中的一部分代替整个词组，如："广东省进出口商品交易会"省略为"交易会"，清华大学简称"清华"。

二、紧缩

"紧缩"指从原来词语中抽取有代表性的词组成简称，一般以双音节词语为主，如："中国工商银行"简称"工行"，"对外贸易"简称"外贸"，"安全检查"简称"安检"。

省略和紧缩有时也可以混合使用，即在简称中一部分省略原来的词语，一部分抽取代表性的词组，如"工商行政管理局"简称"工商局"。

三、数字＋共同点

抽出原来词语中的共同部分，或概括原来几个词的共性加一个数词组成，如："四声"指的是一声、二声、三声、四声，四个声调；"五讲四美"，"五讲"指"讲文明、讲礼貌、讲卫生、讲秩序、讲道德"，"四美"指"心灵美、语言美、行为美、环境美";"三打两建","三打"指"打击欺行霸市、打击制假售假、打击商业贿赂","两建"指"建设社会信用体系、建设市场监管体系"。此类缩略词往往需要读者有一定的社会知识背景，否则很难看懂。

● **猜猜下面这些简称的全称是什么?**

    (1) 宣讲　　(2) 文体活动　　(3) 师生　　(4) 师德　　(5) 体检

    (6) 报刊　　(7) 家教　　(8) 简介　　(9) 减负　　(10) 教辅书

    (11) 考点　　(12) 科技　　(13) 科教　　(14) 科研　　(15) 面授

    (16) 函授　　(17) 研讨会　　(18) 语境

● **猜猜下面这些词组的简称是什么?**

    (1) 中国、日本、韩国　　　　(2) 奥林匹克运动会

    (3) 世界博览会　　　　　　　(4) 公共交通汽车

    (5) 保持新鲜　　　　　　　　(6) 男子篮球队

    (7) 包修、包退、包换　　　　(8) 足球协会

第三部分 ▶ ◀ 实用阅读

1 美的学院

　　美的学院投资(1)_____3000万元，占地面积1.1万平方米，拥有两幢教学楼，一幢综合楼，以及完善的户外拓展、体育、文化、住宿、餐饮等配套设施。美的学院(2)_____不同类型的各类培训教室，还有学术报告厅、图书室、阅览室、会议室、课程交流室、培训机构工作室等，可同时(3)_____近千人进行各种类型的培训、讲座、学习。户外体验式培训基地拥有平衡木、高空浮桥、天使之手、毕业墙、攀岩等九个高空训练项目，(4)_____20多个低空项目、破冰活动等，可同时满足300人进行体验式拓

展培训。美的学院及各项配套设施的落成，将成为美的集团内部员工的培训基地，是员工业余学习、文化、休闲活动基地，也是传播美的文化理念的重要基地。

美的公司近几年的培训(5)_____都在3000万元以上，为各层级员工提供系统的培训，包括企业文化理念、管理技能、专业技能等。主要的培训项目有新员工训练营、后备经理训练营、新任经理训练营、领导力发展培训、出国培训等，全方位打造适合美的国际化战略的职业人才。

● **根据短文选择正确答案：**

(1) （　） A.大概　　B.几乎　　C.差不多　　D.大约

(2) （　） A.拥有　　B.占有　　C.具有　　D.持有

(3) （　） A.允许　　B.吸收　　C.容纳　　D.收纳

(4) （　） A.而且　　B.还有　　C.并且　　D.以及

(5) （　） A.支出　　B.收入　　C.资本　　D.金额

● **课堂讨论：**

企业为什么要投资员工培训？培训的目的是什么？

2 培训师简介

严明女士毕业于华中科技大学，是复旦大学工商管理硕士，同时还是国际职业规划师，高级心理咨询师，浙江大学、云南大学的客座讲师。她具有十五年以上企业内训和专业培训经验，是资深的培训师，长期为多个企业提供企业内训。

在二十年的工作经历中，严明老师先后就职于正大集团、香港FAC设计公司、华为技术有限公司、UT斯达康通讯有限公司等大型企业，从事产品开发、销售、采购、行政管理、人力资源管理等工作，曾任行政经理、地区销售主管、人力资源部总监、企业大学校长等职务，具备丰富的实践经验，并在近十年来坚持不断为中、大型企业提供人力资源管理、销售及领导力等方面的培训及咨询。

严明女士以丰富的实践经验为基础，借鉴企业与个人成功经验，结合对现代企业与管理本质的思考，设计并担任"做富有激情的领导者"、"高效执行的实践"、"团队的智慧"、"销售展示与呈现技巧"、"培训培训师"、"商务文书写作"、"时间管理与生命的效率"、"沟通与人际关系的艺术"、"管理者的关键任务"等多门课程的培训。其课程讲求内容的系统性、可操作性和实战指导性，理念与方法并重，关注培训中学员的参与，通过案例分析、角色扮演、实践练习等互动式、启发式教学，深入浅出，学有所用，深受学员欢迎和好评。

生词			
1.	规划	guīhuà	planning
2.	客座	kèzuò	visiting
3.	就职	jiùzhí	inaugurate; asume office
4.	借鉴	jièjiàn	draw lessons from; use for reference
5.	呈现	chéngxiàn	present
6.	实战	shízhàn	real situation
7.	角色扮演	juésè bànyǎn	role-play
8.	深入浅出	shēnrù qiǎnchū	explain profound theories in simple language

● **根据短文回答问题：**

(1) 严明女士曾经在哪些企业工作过？

(2) 她担任过哪些职务？

(3) 她从事企业培训多长时间了？

(4) 她培训课程的效果怎么样？

● **请你猜猜它们是什么的简称：**

(1) 内训：_____

(2) 资深：_____

● **课堂讨论：**

在严明女士的培训课程中，你对哪些课程感兴趣？你觉得哪些课程适合新职员？哪些课程适合管理者？

3 微软的职业发展

在微软公司内部，有个"721"的职业发展经验模型：70%的经验来自工作中的学习，即把学到的一些知识应用到工作中，边工作边学习边总结，再应用，不断调整，形成可靠的经验与技能；20%是从其他人身上学习，指工作中借鉴、参考别人好的做法，以及与他人沟通、讨论、交流等过程中的相互学习；10%是常规的培训，指企业组织培训时，大家从培训师身上得到的启发与学到的知识。

微软之所以成为一个优秀的公司，从上面这个简单的"721"模型可以看出一些端倪。在微软内部，最宝贵的不是大楼、机器、厂房，而是公司员工。公司员工才是最核心的竞争力，所以，微软非常重视员工的学习与成长。

生词			
1.	模型	móxíng	model
2.	端倪	duānní	clue
3.	核心	héxīn	core

● **根据短文回答问题（不超过10个字）：**

(1) 70%的经验来自：_____

(2) 20%的经验来自：_____

(3) 10%的经验来自：_____

(4) 微软认为公司最大的竞争力来自于：_____

(5) 这里说的"721"指的是什么？_____

课堂讨论：
你对员工学习、成长的看法是什么？你希望工作后怎样提高自己？

4 宝洁的人才支持制度

让员工更自由	让员工更主动
宝洁采取上下班时间弹性化的管理方式，员工保证从上午十点到下午四点的核心工作时间，具体上下班时间并无限制。 2007年起宝洁实施了"在家工作"政策，工作超过两年的员工，在工作性质允许的情况下每周可以选择一天在家上班。 "个人离开"假期也是宝洁的一大福利。凡在公司工作一年以上的职员，可以因个人的任何理由，每三年要求一个月，或者每七年要求三个月"个人离开"。	员工持股计划早已成为现代企业激励员工的手段之一。从2008年4月开始，宝洁在华的正式员工可以自愿选择基本工资的1%~5%用于投资购买公司股票。"员工持股"让员工分享公司的成长，让员工变得更加主动。
让员工更快乐	让员工更温暖
宝洁希望员工感受到工作的快乐，并且快乐地工作。在宝洁内部设有水果吧，员工在空闲的时候可以来这里购买水果。 在下班之后，公司还在办公区域的会议室举办瑜伽培训等，员工可以免费参加，其他时间段依次安排有氧健身操、拉丁舞、街舞等健身项目。更有异常受欢迎的按摩室，让员工享受到完全放松的一刻。	宝洁一直深信：只有照顾好员工，员工才能照顾好客户。只有真诚地对待同事，才能创造好的工作氛围。宝洁不仅提供了包括医疗保险、工伤保险以及公司的重大疾病支持项目在内的三重医疗保障以及高额的住房公积金和住房补贴等多项福利措施，更在公司内部形成互相帮助、共同进步的良好氛围。

	1. 弹性化	tánxìnghuà	flexibility
生词	2. 实施	shíshī	carry out; execute
	3. 瑜伽	yújiā	Yoga
	4. 氛围	fēnwéi	atmosphere

根据短文选择正确答案：
(1) 宝洁从哪一年开始实施"在家工作"的政策？（　　）
A. 2004　　B. 2005　　C. 2007　　D. 2008

(2) 宝洁的工作人员可以在哪个时间自由地上下班？（　　）

    A. 9点上班，3点半下班　　　　B. 10点上班，4点下班

    C. 10点半上班，4点下班　　　　D. 11点上班，5点下班

(3) 为什么宝洁要让员工购买公司的股票？（　　）

    A. 股票可以分红

    B. 股票可以保值、升值

    C. 员工的努力可以促进公司发展，股票升值，员工享受到由此带来的好处就
       会更加努力工作

    D. 员工可以通过炒股赚钱

(4) 员工需要自己花钱才能享受的福利是？（　　）

    A. 水果吧　　　B. 瑜伽　　　C. 各种舞蹈　　D. 按摩

● **根据短文回答问题：**

(1) 宝洁有哪几种工作制度体现出了弹性化的特点？

(2) 宝洁公司的员工是不是一定要购买宝洁公司的股票？

(3) 如果员工要购买公司的股票，由谁来决定按什么比例购买？

(4) 公司在"让员工更温暖"这一栏里提到的"三重医疗保障"指的是什么？

● **请你猜猜下面这些词的意思：**

(1) 持股：_____

(2) 激励：_____

(3) "三重医疗保障"：_____

● **课堂讨论：**

你最喜欢宝洁公司提供的哪一项福利待遇？为什么？

第四部分▶ ◀拓展阅读

顶级企业的培训

    许多世界顶级企业都非常注重员工培训。了解世界顶级企业培训员工
的方法和艺术，对于我们培训员工，打造人才队伍大有益处。那么，世界

顶级企业是怎样培训员工的呢？

英特尔(Intel)

英特尔有专门的新员工培训计划，比如上班第一天会有公司常规的培训，包括熟悉各部门规章制度等等。然后由经理分给新员工一个"伙伴"，新员工不方便问经理的问题随时都可以问他，这是很有人情味的一种帮助。

英特尔会给每位新员工一个详细的培训计划，在入职后不同的时间点，新员工分别需要达到什么样的业务水平，可能需要什么样的支持，都可以在培训计划中找到参考，公司也会随时追踪。

新员工在入职3~9个月之间，会有一周关于英特尔企业文化和在英特尔如何实现个人成功的培训。另外，公司会有意安排许多一对一的会议，让新员工与自己的老板、同事、客户有机会进行面对面的交流，尤其是和高层经理的面谈，给新员工直接表现自己的机会。

微软（Microsoft）

进入微软公司的第一步是接受为期一个月的封闭式培训，培训的目的是把新人转化为真正的微软职业人。

微软很重视对员工进行技术培训。新员工进入公司之后，除了进行语言、礼仪等方面的培训之外，技术培训也是必不可少的。微软内部实行"终身师傅制"，新员工一进门就会由一个师傅来带。此外，新员工还可以享受三个月的集中培训。平时，微软也会给每位员工提供许多充电的机会：一、表现优异的员工可以去参加美国一年一度的技术大会；二、每月都有高级专家讲座，公司每星期都会安排内部技术交流会。

除了技术培训，微软还提供诸如如何做演讲、如何管理时间、沟通技巧等各种职业培训。

宝洁(P&G)

新员工进入宝洁首先要参加入职培训，目的是让新员工了解公司的宗旨、企业文化、政策及公司各部门的职能和运作方式。其次是技能和商业知识培训，如提高管理水平和沟通技巧、领导技能的培训等，它们结合员工个人发展的需要，帮助员工成为合格的人才。第三是语言培训。第四是专业技术的在职培训。公司为每一位新员工制订个人培训和工作发展计划，由其上级经理定期与员工回顾，这一做法将在职培训与日常工作实践结合在一起，最终使新员工成为本部门和本领域的能手。第五是海外培训及委任。公司根据工作需要，选派各部门工作表现优秀的年轻管理人员到美国、英国、日本、新加坡、菲律宾和中国香港等地的宝洁分支机构进行培训和工作，使他们具有在不同国家和地区工作的经验，从而得到更全面的发展。

宜家(Ikea)

宜家在全球五大洲的30多个国家拥有170多家分店。宜家不喜欢把人放在一间屋子里整齐地坐好听老师讲课，"服务行业本身不适合这种方式的培训，因为涉及产品和顾客，你总不能把产品拆了，把各式各样的顾客拉到这里来做示范吧？"因此，宜家的培训是在员工之间，尤其是在新老员工之间，进行每时每刻、随时随地的经验分享与言传身教。

宜家还有一个特别之处，就是它的"外援"——来自瑞典总部的员工，分布在宜家的各个部门，并不都是管理人员。这样做的目的是希望把宜家的企业文化渗透到每一个细胞里去，而不只局限于"头脑"部分。

生词	1. 顶级	dǐngjí	top
	2. 益处	yìchù	benefit
	3. 规章	guīzhāng	regulations

4.	人情味	rénqíngwèi	human touch
5.	追踪	zhuīzōng	track
6.	封闭式	fēngbìshì	closed
7.	充电	chōngdiàn	learn more and improve one's ability
8.	诸如	zhūrú	such as
9.	宗旨	zōngzhǐ	purpose
10.	示范	shìfàn	demonstrate
11.	言传身教	yánchuán shēnjiào	instruct and influence others by one's word and deed
12.	渗透	shèntòu	penetrate
13.	细胞	xìbāo	cell

● **根据文章回答问题：**

(1) 能够有机会到海外多个国家接受培训的公司是哪个公司？

(2) 不在教室里坐着接受培训，而是重视在工作环境中分享经验的是哪个公司？

(3) 采取"终身师傅制度"、帮助新员工提高技术的是哪个公司？

(4) 有许多一对一的会议，让新员工有直接表现自己的机会的是哪个公司？

(5) 下面有四个小标题，请你根据上面四段文字的内容，看这四个小标题分别跟哪个公司的培训风格一致？

　　A. 给新员工人情味的帮助和支持

　　B. 全方位，全过程的培训

　　C. 打磨具有"公司风格"的人，重视技术培训

　　D. 培训每时每刻，随时随地

(6) 在关于"宜家"的介绍中有两个打引号的词"外援"和"头脑"，在文章里这两个词分别代表什么？请你说一说。

● **课堂讨论：**

说说这里提到了哪些常见的培训内容？你喜欢哪方面的培训？为什么？

2

日常事务

第 5 课

bàn gōng shì shì wù
办公室事务

热身问题:

1. 你喜欢在办公室工作吗? 你了解公司的考勤制度吗?
2. 你知道办公室里有哪些常用的文具吗?
3. 办公室里有哪些常用的电器? 你知道怎么使用吗?
4. 说说你每天在办公室还需要处理哪些事。

第一部分▶ ◀图片阅读

1 考勤

考勤方式

员工打卡

指纹签到

××公司考勤制度：

考勤	刷卡时间
迟到	在8:20—9:20之间刷卡
早退	在16:30—17:00之间刷卡
旷工半天	在9:20—12:00之间或12:01—16:29之间刷卡
旷工一天	在6:00—22:00之间没有刷卡记录

1.	考勤	kǎoqín	check on work attendance
2.	打卡	dǎkǎ	punch the clock
3.	指纹	zhǐwén	fingerprint
4.	刷卡	shuākǎ	swipe a card
5.	早退	zǎotuì	leave early
6.	旷工	kuànggōng	absence

● **根据图片填空：**

(1) 图中共有两种考勤方式，分别是_____和_____。

(2) 这家公司的准时上班时间是_____，准时下班时间是_____。

● **根据图片连线：**

9:30刷卡进公司　　　　　　　　迟到

16:40刷卡离开公司　　　　　　　早退

8:30刷卡进公司　　　　　　　　旷工半天

13:00刷卡离开公司　　　　　　　旷工一天

没有刷卡记录

2 公司布局图

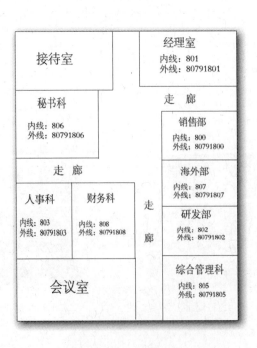

● **根据图片回答问题：**

(1) 这家公司有几个部门？

(2) 在本公司给财务科打电话应该拨打哪个号码？

(3) 在公司外给海外部打电话应该拨打哪个号码？

(4) 公司内哪个办公室没有电话？

● **根据图片填空：**

秘书科　人事科　综合管理科　财务科　销售部　海外部　研发部

　　如果新人刚刚入职，应该去_____报到；领工资的时候，应该去_____；如果办公电脑坏了，应该去_____；负责处理公司文件与通知的是_____；_____的工作主要是产品的研究与开发；_____是销售产品的部门；而_____主要关注公司在海外的发展。

3 领取办公室用品

办公室物品签领单							
序号	物品	领用部门	领用日期	数量	用途	领取人签名	备注
01	白板笔	销售部	2011.11.11	6	说明会	林立	
02	胶水	秘书科	2011.11.12	1	办公	陈明	

生词			
1.	签领单	qiānlǐngdān	registration form
2.	序号	xùhào	serial number
3.	领用	lǐngyòng	receive; draw; take out
4.	备注	bèizhù	note

● **根据图片填空：**

1. ＿＿＿＿＿＿＿＿部的林立在＿＿＿＿＿＿＿＿领取了＿＿＿＿＿＿＿＿支 ＿＿＿＿＿＿＿＿，用于＿＿＿＿＿＿＿＿。

2. 秘书科的＿＿＿＿＿＿＿＿在＿＿＿＿＿＿＿＿领取了一瓶＿＿＿＿＿＿＿＿， 用于＿＿＿＿＿＿＿＿。

● **课后活动**

假设你刚刚入职，请你根据实际需要的物品从上图中选取，并填写物品签领单。

第二部分▶ ◀阅读技巧：猜词训练——词语互释

阅读时常常会遇到生词。当我们没办法通过词语本身猜到它的意思时，别着急，我们还可以通过上下文的语境来猜生词的意思，因为它们常常是互相解释、补充说明的。如：

对海外销售公司员工工作期间<u>着装</u>要求如下：工作期间必须穿西装、衬衣（衬衣要扎于腰带内），系领带。

在这个句子里，我们通过分析能看出"着装"的意思，因为后半句说的都是穿西服、衬衣，系领带等，因而我们可以猜出"着装"应该就是"穿衣服"的意思。

文章中出现的生词，有时会在句中以"即"、"就是"、"……和……是一回事"等标志词来解释。如：

<u>A货</u>就是外贸跟单的精仿产品，是厂家按照外商的款式自己加工来卖的产品。同正品相比，做工和质量有一定区别，但是外观、材质和正品完全一样。

在阅读时，我们要注意利用上下文的线索，认真思考，不要马上查词典，尽量多猜猜。这样可以提高自己的阅读速度和理解能力。

● **根据句子中的解释，说说以下句子中加色的词语可能是什么意思？**

(1) 在公司的用人制度上，他主张<u>唯才是举</u>，只要有能力就可以胜任重要的职位。

(2) 同事就要回国了，大家一起到餐厅吃饭，为他饯行。

(3) 很多中国人都非常迷信风水，讲究根据环境、时间和自身的条件来安排家具、个人物品的摆放。

(4) 美国公司主动向他抛出橄榄枝，表示愿意和他的公司合作开发新游戏。

(5) 老师，你就是偏心眼，只喜欢成绩好的学生。

(6) FOB是free on board 的缩写，俗称离岸价，即装运港船上交货，适用于水上运输方式。

第三部分 ▶ ◀ 实用阅读

1 请假条

请 假 条

		表号：10007.01.01.A
		生效日期：2011.5.8
		编号：004

姓名	徐晓丽	所在部门	销售部		
假期类别	事假	请假起始时间	5月13日	请假终止时间	5月15日
请假理由	去附属工厂采集合作公司所需的零部件材料				
				请假人签字：	
				徐晓丽	
本部门领导意见		分管副总意见		总经理意见	
同意		同意		同意	
注：除事假和丧假外，其他各种假必须附有相关凭证。					

1.	生效	shēngxiào	take effect
2.	起始	qǐshǐ	start
3.	终止	zhōngzhǐ	end
4.	附属	fùshǔ	subsidiary
5.	零部件	língbùjiàn	spare parts
6.	副总	fùzǒng	short term for deputy general manager
7.	凭证	píngzhèng	certificate

● **根据表格回答问题：**

(1) 请假人是谁？来自哪个部门？

(2) 请假的理由是什么?

(3) 请假时间是什么时候?

(4) 这张请假条需要多少人同意才能生效?

(5) 这张假条需要凭证吗?

(6) 如果请病假,需要什么凭证?

● **请根据上文的格式写一张请假条,请假理由可参考下图:**

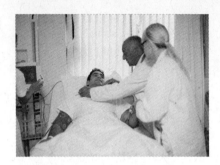

（注：中国圣诞节不放假）

2 着装规范

关于对着装进行规范的通知	表号:10002.01.02A
■通知　□通报　□报告　□纪要　□计划	生效日期:2012.1.15

各部门:

为树立海外销售公司良好的国际商务形象,现对海外销售公司员工工作期间着装进行规范,要求如下:

1. 工作期间必须穿西装、衬衣（衬衣要扎于腰带内）,系领带（西装、衬衣、领带由公司统一配发）。

2. 所穿衣物保持整洁。

3. 元月14日至16日为试穿准备期,没有V形型领毛衣的需利用这段时间做好准备。

4. 自元月19日起正式按第1条、第2条规定进行着装。海外销售公司综合管理部将进行监督检查,对于不按要求着装的员工,将按照"海外销售公司员工文明行为规范"进行处罚。

特此通知

批示:	批　准	审　核	编　制
	李明1.15	黄晓红1.14	综合管理部

主送: 海外销售公司各部门

抄报: 海外销售公司经理层

批准时间：2012年1月15日　　　　发放时间：2012年1月15日

生词			
1.	规范	guīfàn	standards
2.	通报	tōngbào	announcement
3.	纪要	jìyào	summary
4.	扎	zhā	fasten
5.	腰带	yāodài	belt

● **根据表格判断对错：**

(1) 上班期间要求穿西装，西装可以是自己买的或者公司配发的。（　　）

(2) 1月14~16日开始按照要求着装。（　　）

(3) 一定要准备V形领毛衣。（　　）

(4) 不按要求着装的可以按照规定进行处罚。（　　）

(5) 这份通知是在1月15号审核发放的。（　　）

(6) 海外销售公司的员工都要按照要求着装。（　　）

● **课堂讨论：**

(1) 上班时你都穿什么衣服？

(2) 你的公司对着装有要求吗？

3　办公室卫生要求

1. 保持桌面整洁。桌面所有办公用品，如文件夹、电话、电脑、键盘、水杯等，要在桌面固定位置摆放；待处理文件和已处理文件不能散放于桌面，要及时整理。

2. 保持地面整洁。桌椅、沙发、茶几等的位置要固定。每天进行卫生清洁，地面上的纸屑应及时、主动捡起，并放入纸篓。

3. 在离开工作岗位后，要将文件及椅子归位，以保持办公区域的整洁。

4. 员工应在每天工作前和工作结束后做好个人工作区域内的卫生，保持物品的整齐、有序、干净。

5. 每天两名值日人员在下班后进行卫生清扫。

6. 禁止将茶叶或其他饮料倒入办公室洗手间。

7. 室内洗手间只可用于洗手。

生词			
1.	键盘	jiànpán	keyboard
2.	散放	sǎnfàng	scatter
3.	茶几	chájī	tea table
4.	纸篓	zhǐlǒu	waste paper box
5.	纸屑	zhǐxiè	scraps of paper
6.	归位	guīwèi	return the position
7.	禁止	jìnzhǐ	forbid

● **根据短文选择正确答案：**

(1) 下面哪一件物品没有提到要固定摆放？（　　　）

　　A. 电话　　　B. 手机　　　C. 电脑　　　　D. 水杯

(2) 除了桌面，文中提到（　　）也要保持整洁。（多选）

　　A. 地面　　　B. 大厅　　　C. 洗手间　　　D. 办公区域

(3) 每天有（　　）名值日人员进行卫生清扫。

　　A. 1　　　B. 2　　　C. 3　　　D. 4

(4) 室内洗手间可以用来（　　　）。

　　A. 倒茶叶　　B.倒饮料　　C.洗手　　　　D. 上厕所

(5) 下面哪些是员工需要做的事情？（　　　）（多选）

　　A. 主动捡起地面上的纸屑

　　B. 把文件和椅子归位

　　C. 每天进行卫生清扫

　　D. 做好个人工作区域内的卫生

4 物品申请审批单

海外事业部广告宣传品申请审批单

申请部门	东南亚大区	申请人	李明
申请物品	带公司标志的U盘	申请数量	10个
用途说明	客户纪念品		
申请时间	2012年7月17日		

续表

领取人	审核人	批准人
李明	江一安	黄华

注：所有礼品的审核均需通过科室负责人；100元以上礼品审批需要科室负责人签字；300元以上礼品需要部门负责人签字；600元以上礼品需要总经理签字。

● **根据表格回答问题：**

(1) 李明属于哪一个部门？

(2) 他为什么要申请U盘？

(3) 江一安的职位是什么？

(4) 如果每个U盘价值80元，那批准人黄华的职位是什么？

● **课堂活动：**

假设你是销售部的业务员，准备去一家小公司进行业务推广，需要申请20个公司标志的钥匙扣（每个20元）作为礼品，请你填写下面的申请单，并填上审核和批准人的名字。（总经理：徐才；销售部负责人：李逸；科室负责人：李娜）

申请部门		申请人	
申请物品		申请数量	
用途说明			
申请时间			
领取人		审核人	批准人

第四部分 ▶ ◀ 拓展阅读

1 若让你的中国员工丢脸，你就会失去他们

在美国一家跨国公司的上海办公室，外籍销售总监伊恩·福斯特正与中国下属讨论上月未能实现销售目标的原因。他反复质问区域销售经理

李元，为什么他的团队业绩一直不佳。福斯特当众对他的团队表示失望。李元默默地点头，眼睛瞟向窗外，然后离开会场，回避与福斯特进一步讨论，再也没有回来。

对李元来说，当着同事的面遭到公开批评是难以接受的。他的自尊心受到伤害，感到很没面子。留面子在中国社会很重要，当缺点或错误被公之于众，西方人也会感到尴尬，但中国人对此尤其敏感。

让人没面子包括上述的公开指责，也包括当众冲对方发脾气、发生冲突。很多中国人极力为自己和别人顾全面子。中国人通常压制消极意见和情绪，尽量表现出尊重，避免让人感到颜面有损。中国人还会主动给别人面子，认可别人的社会地位、公开表扬或者赠送礼物等都会让人感到很有面子。

很多在华的西方管理层，总是试图挑战中国人的面子。他们很容易表现得严厉、伤人，结果导致员工害怕、沉默。对在华管理人员来说，要在推动高效的工作表现和维持员工的士气上掌握好平衡。如果真相总是伤人，那就找好时机和措辞。尽管认可很重要，但对某个人的过多表扬，也会伤害团队的和谐。这是一项微妙的工作，平衡是关键。

1.	瞟	piǎo	glance sidelong at; look; cast a glance'
2.	遭到	zāodào	encounter, meet with(disaster, misfortune, etc.); suffer
3.	批评	pīpíng	criticize
4.	自尊心	zìzūnxīn	self-respect
5.	公之于众	gōng zhī yú zhòng	reveal to the public
6.	尴尬	gāngà	embarrassed
7.	冲	chòng	against; towards
8.	顾全	gùquán	show consideration for and take care to preserve
9.	压制	yāzhì	suppress

10.	消极	xiāojí	negative
11.	伤人	shāngrén	insulting
12.	士气	shìqì	morale; spirit
13.	平衡	pínghéng	balance
14.	措辞	cuòcí	wording; diction; expression
15.	和谐	héxié	harmonious; harmony
16.	微妙	wēimiào	delicate; subtle

● **根据上下文猜猜画线词的意思：**

(1) 回避：＿＿＿＿＿＿＿＿＿＿＿＿＿＿＿＿＿＿＿＿＿

(2) 颜面：＿＿＿＿＿＿＿＿＿＿＿＿＿＿＿＿＿＿＿＿＿

● **根据文章判断对错：**

(1) 李元是伊恩·福斯特的下级。（　　　）

(2) 李元默默地点头，表示十分赞同伊恩的批评。（　　　）

(3) 在私下里对别人提出批评，不算是伤害别人的面子。（　　　）

(4) 中国人都喜欢别人给自己面子，不喜欢主动给别人面子。（　　　）

(5) 在中国的外籍管理人员，如果不顾全中国员工的面子，会伤害中国员工的自尊心。（　　　）

● **根据文章回答问题：**

(1) 让人感到没有面子的行为有哪些？

(2) 让别人觉得很有面子的行为有哪些？

(3) 西方人与东方人比较，谁对面子比较敏感？

(4) 文章最后提到要掌握好"平衡"，这个"平衡"是哪两方面的平衡？

2 办公室人缘有多重要？

你或许以为高中毕业就告别了拉帮结派和成群结队的生活，你错了。美国最新一期《应用心理学》刊登的一项研究结果显示，好人缘带来的好处会一直延续到成年人的职场生涯。

你的办公室是不是和美剧《办公室》的情景一样呢？就像儿童在操场玩耍一样，同事之间不仅会就谁受欢迎达成一致，还会给这些受欢迎的人更多友善的对待。研究显示，这些幸运儿会得到更多的帮助和善待，无论在公司的地位如何，人缘好的员工总是会得到同事们更多的帮助。研究者暗示，这些员工还会比人缘较差的员工更容易获得不公平的优势。研究人员写道，如果以受欢迎程度为评判标准，公司可能就会推崇一种类似学校文化的俱乐部气氛，而非任人唯贤。

实际上，这些研究人员所谓的人际关系，职场教练可能会称之为"办公室政治"。这在很多工作场所显然非常重要。美国一项调查发现，应对办公室政治排在"替他人收拾烂摊子"之后，成为职场第二大分散工作精力的烦心事。

生词			
1.	人缘	rényuán	popularity
2.	拉帮结派	lābāng jiépài	form cliques
3.	生涯	shēngyá	career
4.	幸运儿	xìngyùn'ér	lucky dog
5.	推崇	tuīchóng	worship
6.	任人唯贤	rèn rén wéi xián	appoint people on their merit
7.	烂摊子	làntānzi	awful mess

● **根据文章回答问题：**

(1) 根据调查，在公司里会不会有拉帮结派的现象？

(2) 如果你的人缘好，你会得到什么好处？

(3) 有魅力的员工可以获得"不公平的优势"，这个"不公平的优势"指的是什么？

(4) 根据调查，最分散工作精力的烦心事是什么？

● **课堂讨论：**

(1) 你觉得怎样才能获得良好的人际关系？

(2) 你觉得受同事欢迎和工作能力突出，对于你的职业生涯而言哪个更重要？

第 6 课

rì chéng ān pái
日程安排

第一部分 ▶ ◀ 图片阅读

1 日程安排

生词

1. 体检　tǐjiǎn
　　physical examination
2. 例会　lìhuì
　　regular meeting
3. 轮值　lúnzhí
　　be on duty in turns

● **根据图片判断对错:**

(1) 十月份的每个周五都要开例会。（　　）

(2) 公司这个月组织员工体检。（　　）

(3) 中旬是这个月最忙的时候。（　　）

(4) 本月有外国客户来访。（　　）

● **根据图片连线:**

5号	客户来访
8号	休息
15号	轮值
29号	体检
25号	出差
22号	放假调休上班

2　时间管理

时间管理优先矩阵

紧急 ——————→ 不紧急

A 重要 　紧急 ● 危机 ● 迫切问题 ● 在限定时间内 　必须完成的任务	B 重要 　不紧急 ● 预防性措施 ● 建立关系 ● 明确新的发展机会 　制订计划
C 不重要 　紧急 ● 接待访客 ● 一些不太重要的信件 　或会议 ● 公共活动	D 不重要 　不紧急 ● 琐碎忙碌的工作 ● 消磨时间的活动 ● 令人愉快的活动

马上就做　重要 ↓ 不重要

待会做或者制订后续做的时间

授权别人去做　　　　　不做

 你通常做哪一类事情呢?

● **根据图片回答问题:**

(1) 需要马上做的事情是什么?

(2) 可以过会做的事情是什么?

(3) 可以交给别人去做的事是什么?

(4) 可以不做的事是什么?

● **课堂讨论：**

和你的同伴说一说你最近遇到的几件事情，把它们按照上面的原则排一下顺序，什么应该先做，什么应该后做，什么可以不做。看看你的同伴同意你的处理方式吗？

3 通知

春节期间办公大楼开放通知
chūn jié qī jiān bàn gōng dà lóu kāi fàng tōng zhī

接上级通知，春节期间（1月12~20日），办公大楼开放时间做出以下调整：

上午开门时间由7:00调整为9:00；

晚上关门时间由22:30调整为20:00.

其中，除夕与大年初一（1月13~14日）全天不开放。

如有不便，敬请原谅。

如有特殊事宜请联系：

黄先生：13211700080

李先生：14356223990

保卫处

1.	上级	shàngjí	superior
2.	调整	tiáozhěng	adjust
3.	除夕	chúxī	New Year's Eve of China
4.	特殊	tèshū	special; exceptional
5.	事宜	shìyí	issues

● **根据图片选择正确答案：**

(1) 下面哪个时间是办公楼开放的时间？（　　）

　　A. 1月11日23:00　　　　B. 1月12日7:00

　　C. 1月13日9:00　　　　D. 1月15日19:00

(2) 春节期间大楼的开放时间缩短了（　　）。

　　A. 2个小时　　B. 4个小时　　C. 4.5个小时　　D. 5.5个小时

(3) 这个办公大楼春节期间有（　　）天不按平时的时间开放。

　　A. 9　　　　B. 10　　　　C. 11　　　　D. 12

(4) 这个通知是（　　）决定的，由（　　）张贴的。

A. 上级　　　B. 黄先生　　　C.李先生　　　D.保卫处

第二部分▶ ◀阅读技巧：猜词训练——词语对比

第5课我们说到有些词在上下文语境中是相互补充、相互解释的。通过前后文，我们可以猜出生词的意思。有时上下文的意思是相反的。在这类句子中常常使用反义词或者"不、没有、别、甭、但是、可是、实际上、却、而"等词来表示相反意思。比如：

在部门中，马克出了名的勤劳。工作一多，有些人就<u>能躲就躲</u>，马克<u>却大包大揽</u>。

我们知道"能躲就躲"的意思是"尽量避开不做"，后半句用"却"，可以知道"大包大揽"的意思应该是与"能躲就躲"相反的，即"尽量多做，全部都自己做"的意思。

● **根据上下文意完成句子：**

(1) 他很<u>准时</u>，从来不＿＿＿＿＿＿。

(2) 人家都写得<u>清清楚楚</u>的，只有你写得＿＿＿＿＿＿。

(3) 美国人的衣着比较<u>随便</u>，不像欧洲人那么＿＿＿＿＿＿。

(4) 这款手机看起来<u>简单</u>，功能却很＿＿＿＿＿＿。

(5) 平时他总是<u>叽叽喳喳</u>的，话很多，今天却＿＿＿＿＿＿。

(6) 在百事公司＿＿＿＿＿＿的约翰，到了苹果公司却<u>表现平平</u>。

(7) 做事一定要＿＿＿＿＿＿，不能再这样<u>马马虎虎</u>了。

(8) 成功的人总是少数，有钱的人总是少数，大多数人是＿＿＿＿＿＿，不太成功的。

第三部分 ▶◀ 实用阅读

1 商务洽谈流程图

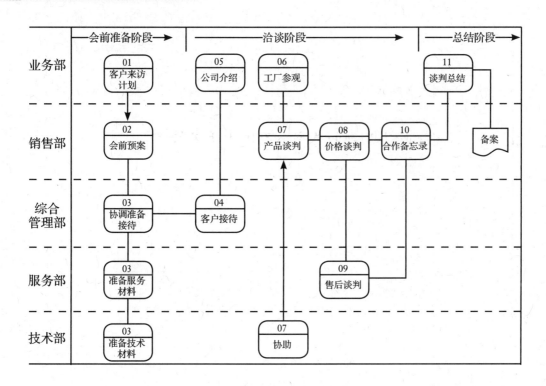

词生			
1. 洽谈	qiàtán	discuss
2. 预案	yù'àn	proposal
3. 备忘录	bèiwànglù	memorandum
4. 备案	bèi'àn	put on record
5. 协助	xiézhù	assist

● **根据图片填空：**

　　在会前准备阶段，＿＿＿＿＿要准备客户来访计划，销售部则做＿＿＿＿＿，综合管理部、服务部和技术部要同时做好＿＿＿＿＿、＿＿＿＿＿和＿＿＿＿＿等工作。其中，＿＿＿＿＿尤其要做好客户接待工作。业务员要给客户介绍＿＿＿＿＿　并带客户参观＿＿＿＿＿。销售部则在＿＿＿＿＿的协助下进行＿＿＿＿＿谈判，成功后进行＿＿＿＿＿谈判，服务部进行＿＿＿＿＿谈判，洽谈后销售部要立即写好＿＿＿＿＿，业务员进行＿＿＿＿＿，并由＿＿＿＿＿备案。

● **课堂讨论：**

综合管理部负责的客户接待应该包括什么内容？请选择打钩。

	记录来访目的
	住宿：来访人员人数、职位、性别及关系明细及住房要求（如：订几个标间，几个单间）
	餐饮：对餐饮有无特别要求，应注意的相关习俗
	了解是否需要到工厂参观洽谈，到工厂参观是否需要准备样品
	是否需要接送（接送时，是否需要专人陪同）
	制订谈判日程表
	桌牌准备要求 我方参与洽谈人员共（　　　）人，人员姓名明细： 对方参与洽谈人员共（　　　）人，人员姓名明细：
	做好谈判记录
	陪同观光
	准备礼品，对礼品要求有何禁忌
	准备好数码相机，在洽谈及就餐时随时准备合影留念

2 考察团行程安排

总部考察团行程安排					
日期	时间	内容	详情	地点	需要接送
23日 周六	22:00	接机	安排租车接机，入住酒店	中国大酒店	酒店
24日 周日	10:00—11:30	工作汇报	分公司负责人	分公司会议室	
	12:00—13:00	午餐	湘菜	天河路湘菜馆	
	14:00—17:00	参观旅游	广州风情	越秀公园，南越王墓	
	18:00	晚餐	自助餐	珠江夜游	
25日 周一	10:00—11:30	参观公司	各部门派代表陪同		
	12:10	午餐	粤菜	广州酒家	
	15:00—18:00	工地考察	考察重点项目与竞争对手设备使用情况	白云区一号工地	白云大道北9001号
	18:00	晚餐	特色菜	待定	

总部考察团行程安排					
日期	时间	内容	详情	地点	需要接送
26日 周二	10:00—11:30	拜访代理商	××公司代理商	代理商公司	天河中路5432号
	12:00	午餐	附近特色餐厅		
	15:00	总结	分公司领导层	会议室	
	18:00	欢送宴		待定	
27日 周三	9:00	送机	送机		机场

生词

1.	考察	kǎochá	study; investigate
2.	汇报	huìbào	report
3.	湘菜馆	Xiāng càiguǎn	Hunan restaurant
4.	粤菜	yuècài	Guangdong cuisine
5.	工地	gōngdì	construction site
6.	代理商	dàilǐshāng	agent
7.	欢送宴	huānsòngyàn	farewell banquet

专有名词

8.	越秀公园	Yuèxiù Gōngyuán	Yuexiu Park
9.	南越王墓	Nányuè Wáng Mù	Nanyue King Mausoleum

◉ **根据表格选择正确答案:**

(1) 考察团没有去的地方是（　　　）？

A. 分公司　　　B. 工地　　　C. 客户公司　　　D. 代理商公司

(2) 下面哪一天不需要安排接送?（　　　）

A. 23日　　　B. 24日　　　C. 25日　　　D. 26日

(3) 考察团每天开始工作的时间是（　　　），结束工作吃饭的时间是（　　　）。

A. 9:00　　　B. 10:00　　　C. 15:00　　　D. 18:00

(4) 表格中加颜色的地方表示（　　　）。

A. 还没有决定参与人　　　B. 还没有决定地点

C. 还没决定工作内容　　　D. 无须说明

(5) 下面哪一项分公司领导层会出席?（　　　）

A. 工作汇报　　B. 参观工地　　C. 拜访代理商　　D. 总结

◉ **课堂活动:**

假设有客户到你的公司进行为期三天的参观，目的是了解你们的产品，考虑是否合作。请模仿上题的内容设计一份行程表。

3　员工月度业绩考核表

姓名：<u>张晓平</u> 所属部门：<u>综合部</u> 考核时间：自<u>2012年3月1日</u>至<u>2012年3月31日</u>

考核类别		考核描述	自我评分	领导评分	分项总分
工作业绩		3月份工作计划中规章制度类不够完善，只完成总体工作90%	90	85	85.5
岗位职责		（1）某局投标文件未及时完成 （2）未能及时完成领导交办的某项任务	95	92	92.9
报表		（1）3月份《工作计划》迟交2天 （2）《部门当月费用清单》迟交1天	85	85	85
例外考核	出勤	迟到2次，早退1次	-3	-3	-3
	重大贡献	参加公司规章制度考试，成绩优秀	5	5	5
	重大失误	无	/	/	/
	其他情况	某局客户投诉一次	-5	-10	-8.5
	例外考核总得分				-6.5
	当月考核总得分				81.13
	当月考核等级（A、B、C、D、E）				C级（良好）

范例说明：

假设张晓平的每个月考勤基数为1000元，根据月度考核奖金公式

则张晓平当月考核奖金 = （85.5×70% + 92.9×20% + 85×10%）/100×1000元 + （-6.5）分×10元/分

= 869.30 - 65元 = 804.3

生词	1. 投标	tóubiāo	bidding
	2. 贡献	gòngxiàn	contribution
	3. 失误	shīwù	fault

● **根据表格判断对错：**

(1)　该员工这个月考核情况非常好。（　　　）

(2)　该员工考核分数和他的奖金是有关系的。考核分高，奖金也高。（　　　）

(3)　该员工考核总分由四个部分的分数组成。（　　　）

(4)　该员工考核是由领导和同事来打分。（　　　）

(5)　三月份他没有发生重要失误。（　　　）

● **课堂讨论：**

你怎么看待考核与奖金挂钩的做法？

第四部分 ▶ ◀ 拓展阅读

1 把你的工作任务清楚地写出来

奥格·曼狄诺指出：如果能把自己的工作内容清楚地写出来的话，便是进行了很好的自我管理，使工作条理化，从而将使个人的能力得到提高。

A. 将自己应干的工作列出清单是使自己工作明确化的最简单的方法之一。首先在一张纸上试着毫不遗漏地写出你正在做的工作。凡是自己必须干的工作，不管它的重要性和顺序，逐项列出来。其次，按这些工作的重要程度重新列表。最后，在你所要做的每一项工作后写上执行方法，并根据以往的经验，注上你认为最合理、最有效的一种。

B. 制订工作日程会因工作性质的不同而受到影响，奥格·曼狄诺建议我们应遵守以下原则：

① 以重要活动为中心制订一天的工作日程。应以关键的或者具有战略意义的重要活动，作为工作重心。

② 以当天必须完成的那件工作为中心制订一天工作日程。要挑出那些在一天内必须做完、一旦中断就不太好办的工作。

C. 把有联系的工作归纳在一起做。种种琐事归纳到一起，会使工作有节奏。例如，有些信件，可以归总起来一次写完；尽可能集中会见来访者；集中阅读一些材料；等等。

D. 使工作日程与自己的身体状况、能量曲线相适应。能量曲线因人而异，大部分人上午精力更加充沛，因此，要利用这段时间完成那些最有挑战性、最富于创造性的工作。而当精力、体力和工作效率都在减退时，换做一些其他工作，做一些事先已经安排好的工作，或者休息一下。

生词			
1. 条理化	tiáolǐhuà	coherent and organized
2. 遗漏	yílòu	omit
3. 逐项	zhúxiàng	term by term
4. 注	zhù	take a note
5. 干扰	gānrǎo	disturb
6. 节奏	jiézòu	rhythm
7. 过目	guòmù	have a look
8. 能量曲线	néngliàng qūxiàn	energy curve
9. 精力充沛	jīnglì chōngpèi	energetic; vigorous

● **请看看下面这些观点和文章中哪个段落的意思一致：**

(1) 有精神的时间应该做最难的工作，没精神的时候应该做些简单的工作。

（　　）

(2) 把自己的工作列一个清单，再按重要性排序，可以让自己的工作更清楚。

（　　）

(3) 制订日程的时候应该以重要性和必要性为中心。（　　）

(4) 把有关系的事情放在一起做，可以提高工作效率。（　　）

2 "80后"被动加班一族

　　如今的职场，加班似乎成了常态，在连续的工作压力下，"亚健康"、"过劳死"成了人们熟悉的字眼。究竟是什么原因让现代人频繁加班？

　　最近，一家报纸随机对100名分属于20个行业的"80后上班族"进行了一项加班调查，结果显示：60%的人"经常加班"，10%的人"偶尔加班"，加班者中月平均加班超过20个小时的多达65%，80%的加班者表示自己属于被动加班，即工作完不成只能加班，20%的人则是主动加班，即领导没有明确加班要求且在工作完成的情况下自愿加班。

　　从行业上来看，电气/电子行业的加班时间最长，平均每月加班90个小时。此外，交通运输、邮电、船舶机械、建筑工程、经营管理、机械/仪器仪表、电力/能源、机动车机械/电子、高等教育/职业培训、媒体出版等行业，也是加班大军中的重量级行业，平均每月加班在20个小时以上。

就具体职位而言，编辑、媒体技术、货物代理员、酒店会议服务员等私营企业的从业者，常常遇到无法按时完成工作的情况，因此上班时间会相应延长。同时，电信、供热、政府部门等大型国企及公共服务机构则很少有加班的状况发生。

此次调查显示，82.6%的员工在延长工作时间后，会出现血压升高、肠胃不适、全身酸痛、眼睛干涩、脊椎疼痛、心情烦闷等生理及心理的症状，同时对工作产生厌倦情绪，使工作效率降低。

	生词		
1.	常态	chángtài	ordinary state
2.	亚健康	yàjiànkāng	semi-healthy
3.	过劳死	guòláosǐ	death from overwork
4.	随机	suíjī	randomly
5.	重量级	zhòngliàngjí	high level
6.	血压	xuèyā	blood pressure
7.	肠胃	chángwèi	intestines and stomach
8.	脊椎	jǐzhuī	vertebration
9.	症状	zhèngzhuàng	symptom
10.	厌倦	yànjuàn	be tired of

● **根据文章第二段完成以下图表：**

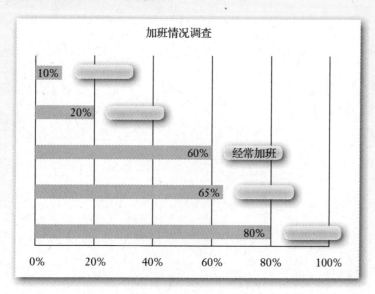

● **根据文章回答问题：**

(1) 加班时间最长的行业是什么？

(2) 私企和国企的加班情况有何区别？

(3) 加班后大部分人会出现什么症状？

第 7 课

shāng wù chū chāi
商务出差

第一部分 ▶ ◀ 图片阅读

1 留言

生词	1. 一寸	yícùn
		one inch

小张:

　　刚刚李秘书来找你,说要收两张一寸照片和你的护照,是办理下个月出差的商务签证用的。最迟后天下班前给她。

老王

2012.10.21

● 根据图片选择正确答案:

(1) 小张需要交 (　　) 和 (　　) 。

　　A. 两张一寸照片　　　　B. 一张两寸照片

87

C. 护照　　　　　　　　D. 商务签证

(2) 小张什么时候要出差?（　　）

A. 这个月　　B. 上个月　　C. 下个月　　D. 即日

(3) 小张最迟什么时候应该把东西交给秘书?（　　）

A. 10月21日　B. 10月24日　C. 10月20日　D. 10月23日

● **课堂讨论：**

除了商务签证外你还知道什么签证?

2 出差流程

生词		
1. 手续	shǒuxù	procedure
2. 单据	dānjù	document

1. 出差申请
2. 安排出差人员
3. 办理出差手续
4. 出差
5. 整理与提交相关单据
6. 单据审核
7. 填写出差报告

● **根据图片填空：**

(1) 出差之前首先要_____ , 然后_____并_____。

(2) 相关单据需要_____、_____和_____。

(3) 出差回来后，最后要形成_____。

● **课堂讨论：**

你认为出差会产生哪些单据? 请列举出来。

3 出差备忘

```
出差备忘

内容

8.8  8:00 花园大酒店 赴港大巴
     16:30 MH72 香港-吉隆坡

8.9  04:40 MH79  吉隆坡-雅加达
            酒店入住

8.11-12 拜访客户
8.13    邮件汇报


☑ 定时提醒    指定时刻

  时 间    20：00
  日 期    2012-8-7
```

生词			
1.	赴	fù	go to
专有名词			
2.	吉隆坡	Jílóngpō	Kuala Lumpur
3.	雅加达	Yǎjiādá	Jakarta

● **根据图片判断对错：**

(1) 出差的目的地是雅加达，中间要在吉隆坡转机。（   ）

(2) 到达雅加达首先要联系客户。（   ）

(3) 备忘提醒时间是出差之前一天的晚上22:00。（   ）

第二部分▶ ◀阅读技巧：猜词训练——根据上下文语境猜词1

前面几课我们介绍了几种猜词方法，有些生词通过上下文相互解释、补充说明，有些是通过相反的、对比的意思来说明，而有些生词则是在上下文中用各种不同的比喻方式表现出来的，如："像……（一样）"、

"跟……一样"、"跟……似的"、"就像……"等，还有的常常使用"动词/形容词+得……"来表示程度。在这样的结构中，我们常常可以根据常识推断出这个生词所代表的概念，这些概念往往带有浓厚的语言特点。如：

他是个老狐狸（fox），<u>狡猾</u>得很。

他<u>精</u>得像个猴子。

他<u>蠢</u>得像头猪。

你怎么跟木头人似的，<u>不解风情</u>。

● **通过对比画线的词语来理解它们的意思：**

(1) 老师<u>慈祥</u>的笑容，就像我妈妈一样。

(2) 他说话太絮叨了，就像<u>一个老太太似的没完没了</u>。

(3) 你的公司例会是怎么样的？严肃的？活泼的？还是"<u>高压锅</u>"样的，<u>压力大得让人喘不过气</u>？

(4) 那个账本就像本<u>天书</u>，<u>谁也看不懂</u>。

(5) 日程工具是你生活、工作的<u>小管家</u>，把你的时间安排得<u>井井有条</u>。

(6) 恋爱中的人都是<u>盲目的</u>，<u>什么都看不清</u>。

第三部分▶ ◀实用阅读

1 出差乘坐交通工具和住宿报销等级标准

单位：元/天

职务\标准\类别	交通费用支付标准				住宿费支付标准	
	飞机	火车及汽车	轮船	其他交通	一般城市	省会、特区
总经理助理	经济舱	软卧	二等舱	据实报销	400	500
厂长、副厂长、销售分公司经理	经济舱	软卧	二等舱	据实报销	350	450

续表

职务 \ 类别 标准	交通费用支付标准				住宿费支付标准	
	飞机	火车及汽车	轮船	其他交通	一般城市	省会、特区
厂长助理、部长、销售分公司副经理		硬卧	三等舱	实报（不含出租）	180	260
副部长、科长、副科长		硬卧	三等舱	实报（不含出租）	100	150
科员		硬卧	三等舱	实报（不含出租）	80	100

		生词		
1.	助理	zhùlǐ	assistant
2.	部长	bùzhǎng	head of department
3.	科长	kēzhǎng	section chief
4.	科员	kēyuán	clerk
5.	经济舱	jīngjìcāng	economy class
6.	据实	jùshí	according to facts
7.	省会	shěnghuì	capital city
8.	特区	tèqū	special region

◉ **根据表格选择正确答案：**

(1) 以下哪个职务可以报销飞机经济舱？（　　）

　　A. 厂长助理　　B. 部长　　　C. 厂长　　　D. 副经理

(2) 一个科员到深圳出差3天，他的住宿费可以报销（　　）。（注：珠海是特区）

　　A. 500元　　　B. 360元　　C. 240元　　D. 300元

(3) 一个科长出差期间在其他交通方面花了300元，其中打的费64元，他可以报销（　　）。如果是厂长，则可以报销（　　）。

　　A. 300元　　　B. 64元　　　C. 364元　　D. 236元

(4) 在交通上享受同样报销标准的是哪两个职务（　　）？

　　A. 销售分公司的经理和副经理　　　　B. 总经理助理和厂长助理

　　C. 科长和副科长　　　　　　　　　　D. 厂长和部长

◉ **课堂讨论：**

(1) 飞机除了经济舱还有什么等级的舱位？

(2) 火车的除了软卧和硬卧还有什么席位？它们之间有什么区别？

(3) 省会、特区和一般城市的区别是什么？

2 出差报销注意事项

一、出差人员请整理单据，并填写费用报销申请单，粘贴单据，交给部门负责人审核签字，然后到会计处报销。

二、出差回来后5日内必须报销有关费用。超过5日报销的每一天扣出差补助的1%，超过20天不发补助。各部门当月费用必须在本月28日前处理完毕，次月不得报销以往月份的费用。

三、各部门出差人员报销差旅费用，取得的票据必须真实、准确，票面整洁、填写规范，若票据存在涂改、填写不规范、印章不完整或无法辨认等现象，财务部门有权拒绝报销。

四、如果某项费用无法取得票据（如长期出差的网络费，租房中介费等），请据实填写报告，在取得领导签字后可以同单据一起报销。

五、报销各项费用的清单如下，请按顺序粘贴：

费用项目	有无单据		金额	备注
机票费	□有	□无		
交通费	□有	□无		
住宿费	□有	□无		
餐费	□有	□无		
交际费	□有	□无		
通讯费	□有	□无		
资料费	□有	□无		
其他	□有	□无		
合计				

生词			
1. 票据	piàojù	receipt
2. 涂改	túgǎi	erase and change

● **根据短文判断对错：**

(1) 出差人员粘贴好单据以后就可到会计处报销。（　　　）

(2) 如果小陈1月5号出差回来，他10号前就应该去报销有关费用。（　　　）

(3) 只要有领导的签字和相关单据，财务部门就必须给予报销。（　　）

(4) 有些项目没有单据也能报销。（　　）

3 出差工作总结报告

报告人：李明　　　　　　　　　　　　　　　　　　报告日期：2012.6.8

出差任务：项目跟进	
出差地点：深圳	
出差时间：2012年5月29日～2012年6月2日	
1. 跟进相关项目的进展	完成
2. 了解客户的需求	完成
3. 拜访潜在客户	完成
4. 调查竞争对手产品情况	完成
5. 汇总深圳地区整体情况	进行
出差总结	
主要存在问题：	解决问题的办法或建议：
1. 营销方式较单一	对营销人员进行培训
2. 新产品开发不足	技术研发部应进一步提高新产品的性能

生词				
	1.	跟进	gēnjìn	follow up
	2.	进度	jìndù	process
	3.	潜在	qiánzài	potencial

● **根据表格回答问题：**

(1) 表格中包含了哪些出差信息？

(2) 李明为什么去出差？去哪儿了？去了几天？

(3) 哪一个计划事项还没有完成？

(4) 主要存在的问题与哪些人员有关？

● **假设你是李明，请根据表格内容做一次出差口头汇报。**

第三部分▶◀拓展阅读

1 外国人到中国出差的15个注意事项

在中国出差的"一般性文化注意事项":

(1) 参加社交活动一般要比约定时间稍微早到一些。

(2) 在餐馆用餐时,避免谈到疾病、死亡或者不幸事件,因为这被认为是不吉利的。

(3) 用餐过程中,可以适当表达对厨师厨艺水平的赞赏。

(4) 中国人在讲话过程中不做夸张的动作或者面部表情,而且不欣赏别人做出类似动作。

(5) 送礼很重要,但礼物的价值不要太高,否则会使中国人感到尴尬甚至拒绝礼物。

(6) 中国人收礼之前一般会拒绝若干次,所以送礼的人一定要坚持,直到中国人接受为止。

(7) 接受邀请去中国人家里做客时一般要带礼物,可以是水果、糖或者从本国带来的纪念品。

在中国出差的"商务文化注意事项":

(1) 互相介绍时,中国人一般是用点头或者轻微的鞠躬作为打招呼的方式,另外握手也很常见。

(2) 如果受到鼓掌欢迎,最好是以鼓掌来回应。

(3) 约会时间必须提前确定。

(4) 在商务和社会交往中必须准时。

(5) 准备好足够数量的名片,最好一面是英文,一面是中文。

(6) 在正式文件和谈话中提到中国时,应使用全称"中华人民共和国"。

(7) 你在访问时可能会被邀请参加宴会，但在用餐中一般不谈商务事宜。如果可能，最好回请对方。

(8) 商务着装以保守为宜。男士应穿西装、打领带，女士应着套装，裙子或裤子都可以。

生词			
1.	吉利	jílì	auspicious
2.	若干	ruògān	several
3.	鞠躬	jūgōng	bow
4.	保守	bǎoshǒu	conservative

● **根据短文填写下列表格：**

请根据上文总结在中国出差该做的事情和不该做的事情。

该做的事	不该做的事

● **课堂讨论：**

(1) 文章中的建议有哪些你觉得有道理？哪些你不同意？

(2) 除了上面的建议，你觉得到中国出差还应注意什么？

2 出差必备

经常出差的人，肯定对收拾行囊颇有心得，想在出门前10分钟内把东西收拾好，绝对需要技巧。其实，只要把几种出差必备品准备妥当，你就可以轻松处理好出门行装，享受惬意旅程。

舒适的鞋

除非是出差时参加重要的活动，需要准备正式的皮鞋，否则一双轻便的橡胶皮革鞋就是你最好的出行伴侣。不但穿脱速度快，更是能适合多种场合。不过，记得要把书、鞋子或皮靴等较重的物品放到行李箱的底部，以防压损衣物。还可以把比较重的鞋穿在身上，省去一些旅行箱的重量。

策略性穿衣

想要在商务旅途中一件西装"打天下"？还需要以下条件：多带几条领带，这样只需要每天换领带就可以了。最后，别忘了牛仔裤，西装配牛仔裤，会让你在商务会议后的私人时间里，时尚品位也不落人后。

合适的箱子

聪明人会根据出差时间的长短来选择合适的箱包作为出行的装备。如果出差的时间比较长，所带的东西必然就比较多，拉杆箱是最好的选择，因为里面的空间比较大，可以多装一些物品。短途出差的话可以选择一个手提包，最好要有隔层设计，这样随身的物品就能轻松归位。

带齐常用药品

出差在外，尤其是遇到水土不服、时差颠倒或者是高原反应，经常会引发身体不适，所以要准备一些常用药，如感冒药、胃药等，只有身体好了才能集中全力投入到工作之中。

准备橡皮筋

准备一些橡皮筋，把你的耳机，各种充电器和其他带有电线的东西，全部都收拾绑好。这样，等到你到达目的地的时候，就不会因面对一大堆缠在一起的电线而头痛了。

（改编自http://bbs.lady.qq.com/t-798340-1.htm）

1.	妥当	tuǒdàng	proper
2.	行装	xíngzhuāng	package
3.	惬意	qièyì	pleased
4.	橡胶	xiàngjiāo	rubber
5.	皮革	pígé	leather
6.	皮靴	píxuē	boot
7.	策略	cèlüè	tactic
8.	品位	pǐnwèi	taste
9.	拉杆箱	lāgǎnxiāng	draw-bar box
10.	水土不服	shuǐtǔ bùfú	unaccustomed to the climate
11.	时差	shíchā	time difference
12.	颠倒	diāndǎo	reversed
13.	高原反应	gāoyuán fǎnyìng	altitude sickness
14.	橡皮筋	xiàngpíjīn	rubber band
15.	绑	bǎng	tie
16.	缠	chán	wind

● **根据文章填写表格：**

读文章之前，请先写出你出差时会带的东西，然后边读文章边做笔记，记下文章中提到的东西，对比一下两者的优点和不足。

你会带的东西	文中提到的东西

第 **8** 课

gōng sī huì yì
公司会议

热身问题:
* * * *

1. 公司一般多久开一次例会?
2. 例会可能包含什么内容?
3. 开会时要注意什么?
4. 你觉得在中国开会和在你们国家开会有什么不同?
5. 如果在会议上,你和别人有不同的意见,你会怎样表达?

第一部分▶ ◀图片阅读

1 会议通知

各位同事:

　　根据领导安排,定于本月25日下午三点在公司会议室(301)召开部门会议,由市场部主持讨论新产品上市事宜,请各部门主管参加。请参会人员提前5分钟入场,如不能按时参加,请向上级主管请假,并通知综合管理部,否则将按规定严格考核。

　　特此通知。

综合管理部

2012年10月11日

生词	1. 上市	shàngshì	launch into the market

根据图片选择正确答案：

(1) （　　）需要参加会议。

　　A. 综合管理部文员

　　B. 各部门主管

　　C. 全体员工

(2) 参会人员（　　）应该到达会议室。

　　A. 3:00　　　　B. 2:55　　　　C. 3:05

(3) 如果不能出席会议，应该向（　　）请假。

　　A. 上级主管　　B. 部门经理　　C. 市场部

(4) 下面哪个选项可以作为这个通知的标题？（　　　　）

　　A. 关于主管会议的通知

　　B. 关于市场部会议的通知

　　C. 关于新产品上市会议的通知

2 签 到 表

XX公司会议签到表

会议名称：　2012年第一次公司全体大会

会议时间：2012年1月5号　　　　　　会议地点：大会议室

主持人：陈子明　　　　　　　　　记录人：马琳

序号	姓名	签到	职务	部门	备注
01	陈红	陈红	销售代表	销售部	
02	陈子明	陈子明	主管	市场部	主持
03	戴云	戴云	后勤	综合部	
04	李强	李强	主管	销售部	发言
05	李林浩		技术员	研发部	缺席
06	马东	马东	技术员	研发部	
07	马琳	马琳	秘书	秘书部	记录
08	杨志		文员	秘书部	请假

● **根据表格填空：**

这是××公司在2012年的第_____次公司全体大会。会议时间为_____，会议在_____召开。主持人是_____部的_____陈子明，记录人为_____部的_____马琳。表格中共有_____个部门出席这次大会，名单人数为_____人，签到人数为_____人，其中_____人缺席，_____人请假。

3 会议议程

3月例会议程

主持人：刘鸣副总

1、固定议题

14:00-14:15　本月重点项目开展情况　…………………　于冬文

14:15-14:35　市场重大问题处理进展情况　…………　徐广彪

14:35-15:00　配件采购情况通报　…………　赵振兴　陶金梅

15:00-15:15　本月技术资料编制计划及进展情况　…　安桂生

2、专项议题

15:15-15:45　海外市场拓展情况　…………………　后勤部

15:45-16:00　接待礼仪规范　…………………　综合管理部

生词			
1.	议程	yìchéng	agenda
2.	固定	gùdìng	fixed
3.	议题	yìtí	topic
4.	编制	biānzhì	compose

● **根据图片回答问题：**

(1) 这种例会多长时间召开一次？

(2) 这次例会的主持人是谁？

(3) 这次例会一共有多少个议题？

(4) 这次会议持续多长时间？

(5) 哪些议题每次例会都会讨论？

(6) 哪些议题下个月会更换？

第二部分▶ ◀阅读技巧：猜词训练——根据上下文语境 猜词2

上一课我们学习了利用上下文语境来猜词。在这一课中，请综合利用你学习的猜词知识，和你的同学两人一组，讨论下文中带下画线词的意思，并说说你是怎么猜的。

1 开会时，你会如何选择座位

开会时，你害怕坐在老板身旁的座位吗？你发现很多同事跟你一样，喜欢坐在离老板比较远的座位？你选择的座位已经暴露出你是哪一种人，预示你以后的职场发展情况。

看看开会时，你会选择哪个座位？（ 　　 ）

A. 离老板最远的座位

B. 老板对面的座位

C. 老板侧面的座位

D. 紧挨着老板坐

答案：

A. 离老板最远的座位：潜水（1）的旁观（2）者

这种位置可以看做是最糟糕的选择。选择靠后的座位，自以为很低调（3），却没想到前面的同事可能会挡住自己，从而使自己处于被动地位。别让老板觉得你是个"隐形人"（4）！

B. 老板对面的座位：积极的表现者

人的视线在第一时间内往往是向前直视的。会议过程中，对面那个人的反应，如皱眉、摇头、微笑等等小动作，都难逃老板的眼睛。同样的，专心致志（5）地听会、点头赞同（6）、准备发言等等，老板也同样会第一时间看在眼里。坐在这个位置上的人，往往是自我认知与自我要求都较高，同时也是非常积极、寻求表现的人。

C. 老板侧面的座位：大多数的合作者

这些人通常比较谨慎，同时也担当着团队中润滑剂（7）的作用。在老板的侧面，便于观察全局形势。这个位置既能清楚地听到上司的发言，便于表达自己的观点意见，在需要的时候也可以引起老板的注意。此外这个座位可以很好地实现与其他同事的互动，发言的时候也可以看清每个人的表情和反应，实现更近距离的互动。他们或许并不是能力最强的，也并不是最渴求表现的，但却是团队中不可缺少的一类人。

D. 紧挨着老板坐：亲密的支持者

坐在老板身边，不但所有小动作都暴露在了老板的眼皮底下，更重要的是这个位置暗示了你是老板身边的红人（8）。会议开始讨论时，这个人通常需要第一个发言；老板发表意见，这个人也需要第一时间给出回应；遇到大家都不知道说什么的僵局（9）时，这个人需要随机应变打破局面化解尴尬。这个位置上的人，可以视作老板的左膀右臂（10），也是老板最亲密的支持者。

讨论完猜词后，请你和你的伙伴互相讨论，你们在开会的时候喜欢坐哪个位置，为什么喜欢坐这个位置。你心里的想法和文章分析的一样吗？

第三部分 ▶ ◀ 实用阅读

1 会议室申请

流程：

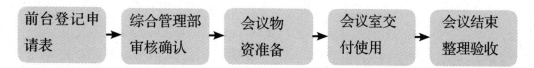

前台登记申请表 → 综合管理部审核确认 → 会议物资准备 → 会议室交付使用 → 会议结束整理验收

(1) 申请：各部门使用会议室，请指定专人，在前台处登记会议室使用申请表

(2) 申请时限：因会议等级不同，所需准备的会议物资也不同，请按照以下标准执行：

物资准备	申请时限
无需物资准备	提前30分钟申请
需提供纯净水摆放	提前1小时申请
需准备鲜花、水果、音响、电脑、投影设备等	提前1个工作日申请
需提供横幅、X展架、与会人员席卡等制作类物资	提前3个工作日申请

(3) 会议时限：每30分钟为1节，请各部门按需申请，提高会议效率。

生词			
1.	前台	qiántái	reception
2.	交付	jiāofù	hand over
3.	验收	yànshōu	check and accept
4.	附件	fùjiàn	attachment
5.	横幅	héngfú	banner
6.	展架	zhǎnjià	display rack
7.	与会	yǔhuì	participate in a conference
8.	席卡	xíkǎ	nameplate

● **根据短文选择正确答案：**

(1) 如果你们部门要开会，需要使用会议室，应该在哪儿登记？（ ）

    A. 会议室门口   B. 前台处

    C. 综合管理部   D. 各部门领导处

(2) 填写申请表以后，应该由哪个部门审核确认？（ ）

    A. 前台   B. 各部门领导

    C. 总经理   D. 综合管理部

(3) 如果开会时需要用PPT作报告，应该提前多长时间申请？（　　）

A. 30分钟　　　B. 1个小时　　　C. 1个工作日　　　D. 3个工作日

(4) 如果这次会议需要做一个欢迎的横幅，应该提前多长时间申请？（　　）

A. 30分钟　　　B. 1个小时　　　C. 1个工作日　　　D. 3个工作日

(5) 如果你们的会议大概要开一个多小时，至少应该申请几节？（　　）

A. 1节　　　　B. 2节　　　　C. 3节　　　　D. 4节

2 会议纪要

富强公司会议纪要

时间：2012年10月11日星期四

地点：视频会议

参加人员：海外部全体工作人员

会议议题：关于亚洲区域市场的讨论

会议内容：

本次会议由海外总监Jason召集，副总余中伟主持，王小莉记录。整个会议共持续1.5个小时，会议听取了亚洲区域市场信息汇报，研究讨论了产品价格策略，部署了客户拓展工作。

决定事项：

1. 在公司产品出厂价格基础上增加5%，作为亚洲区域市场的定价。

2. 继续研发A系列新产品满足市场需求。

3. 加大大型跨国公司的开拓力度。

生词			
1.	区域	qūyù	region
2.	总监	zǒngjiān	chief inspector
3.	部署	bùshǔ	arrange
4.	开拓	kāituò	explore

● **根据短文判断对错：**

(1) 这个会议是通过网络召开的。（　　）

(2) 发起这个会的人是余中伟。（　　）

(3) 会议开了一个半小时。（　　）

(4) 只有负责亚洲区域的工作人员参加了这次会议，负责其他国家的工作人员没有参加。（　　）

(5) 会议经过讨论决定提高产品的价格。（　　）

(6) 客户拓展主要针对中小型公司。（　　）

4　会议室出租

· ·

适合10～50个人的商务办公解决方案，灵活多变，可自由更换地点。
全国八大城市：北京、上海、深圳、广州、香港、杭州、宁波、成都，各
种预算的商务楼可供选择。

会议室硬件设备

投影仪　　　书写白板　会议指示牌　　会议桌　　会议椅

签到台　　　中央空调

会议室出租费用

预付款为200元。如取消预约，请提前一天告知我们。否则预付款概不
退还。

会议室租用方法

请至少提前两天电话预约。至少提前一天签订租赁协议。

会议室出租注意事项

1. 会议室租用具体时间和流程，请与前台提前确认。

2. 在会议室内一律禁止吸烟。

3. 禁止带入油腻或刺激性食品和饮料。

4. 会议室使用中，禁止大声喧哗和嬉戏打闹。

5. 请尽量保持会议室卫生。

1.	方案	fāng'àn	proposal
2.	预算	yùsuàn	budget
3.	投影仪	tóuyǐngyí	projector
4.	预付款	yùfùkuǎn	advanced payment

5.	一律	yīlü	without exception
6.	刺激性	cìjīxìng	irritate
7.	喧哗	xuānhuá	uproar
8.	嬉戏	xīxì	play

● **根据短文回答问题:**

(1) 这家公司提供的会议室最少可以坐多少人，最多可以坐多少人？

(2) 如果你要租会议室，至少要先付多少钱？

(3) 如果你要租会议室，至少提前多少天预约？怎么预约？

(4) 如果你要租会议室，当天签协议可以吗？

(5) 预订了会议室后，能否取消？如果可以，应该提前多久取消？

(6) 在会议室里可不可以吸烟、喝酒？

第四部分 ▶ ◀ 拓展阅读

1　会议座次安排注意事项

会议座次安排有五大原则：面门为上、居中为上、以右为上、前排为上、以远为上（即距离门越远地位越高）。

一般情况下，会议桌分成两类：方桌和圆桌。

接待领导和来宾时，一般使用长条形或椭圆形的会议桌，主方和客方相向而坐。如果只有一位领导，那么他一般坐在长桌的前头，或者是比较靠里的位置（图一）。如果会议桌一侧朝向正门，则主方坐背门一侧，客方坐面向门一侧（图二），即远离门口一方为上。如果会议桌一端朝着正门，那就分两侧来坐，主方坐在会议桌的右边，而客方坐在会议桌的左边（图三）。

还有一种座次安排是为了尽量避免主次，而以圆形桌为布局，即圆桌会议。在圆桌会议中，可以不用拘泥这么多的礼节，只要记住以门作为基准点，比较靠里面的位置是比较重要的座位就可以了。

主持人要坐在所有与会人员都能看得清楚的位置，且方便使用黑板、投影机等设施。

负责记录的人，为了清楚地看得见发言者，一般坐在发言席的正前方。

列席人员虽然能发言，但没有决议权，不是会议的正式成员。为不妨碍会议的进行，应坐在会议正式人员的后方。

其余参加会议的人，要坐在能看清楚发言者、黑板、荧屏的地方，尽可能看得到其他人。

重要会议需要预先摆放座位卡或姓名牌，并根据职位高低或上司的意图准确放置到位。

图一：请标出领导坐的位置：　　　图二：请标出主方和客方的位置：

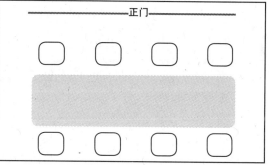

图三：请标出主方和客方的位置：

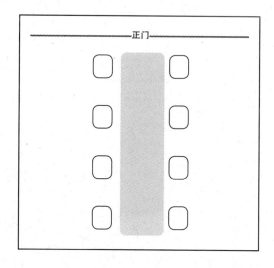

	生词		
1.	椭圆形	tuǒyuánxíng	oval
2.	拘泥	jūnì	rigidly adhere to
3.	基准点	jīzhǔndiǎn	reference point
4.	列席	lièxí	attend as a nonvoting delegate
5.	决议权	juéyìquán	right of judgment
6.	荧屏	yíngpíng	screen

● **课堂讨论：**

(1) 在你们国家，开会时对于座次安排有没有什么讲究？

(2) 你了解中国公司里的等级观念吗？

(3) 中国人开会还有什么需要注意的地方？

2 中美文化在职场沟通上的差异

中国人不喜欢直接拒绝别人，而喜欢用比较间接的方式来表达"不"。

中国人不喜欢面对面地批评或赞扬别人。

中国人喜欢用"我们"，因为在中国人的观念里集体比个人重要。美国人把集体与个人分得很清楚。

在中国上级批评下级时，也会非常注意用词，给对方留面子。

中国人遇到暂时不能解决的矛盾时可能会放一放，以后再说。美国人觉得这是逃避问题。

中国人说话的方式比较含糊，美国人常常搞不懂到底是什么意思。要读懂中国人，需要了解言外之意。中国人一般不会十分肯定地告诉你行或不行，对或不对，好或不好，因为这样太绝对了。中国人喜欢中庸的表达方式。

在中国人与美国人交往的过程中，即使语言没障碍，但因为文化上的差异，还是会发生很多沟通和理解上的问题。请你看看，你有没有遇到类似的问题？

● **在短文中找出与下列A、B、C、D四个段落所表达观点一致的一句话：**

A. "你到底想说什么？"

中国人之间的信息传达方式更多的是"意在不言中"，没有说出来的远比说出来的更重要，更有实际意义。而"可爱的"美国伙伴们，说话直截了当，开门见山。例如在拒绝别人的要求时，一般来说美国人如果不喜欢，就直接说"不"；而中国人通常会说"让我考虑考虑"。美国人若不了解中国人的说话方式，会以为那人是真的去考虑了，过两天说不定又会回来问："考虑得怎么样了？"。

当中国人说"不方便"那就意味着不可能了。与美国人直接说"不"不同，中国人更倾向于用"问题不大、研究研究、考虑考虑"等较为间接的词汇来代替"不"这个字。同样，即使说"是"，也不一定代表中国人表示同意或肯定，而只是礼貌的表示"我在听"。

B. "我们"与"我"

中国人自古就有"和为贵"的思维，简单地说，就是个人利益服从社会利益。群体取向使中国人性格内向，含蓄，不愿引人注目。人们不愿发表不同意见或个人意见，凡事先看别人怎么看、怎么说，不习惯当众被表扬或批评。

在与美国人的交谈中经常会听到"我想、我认为、我觉得"等自我感受为开场白的言论，并将自己和集体的意见划分得很清楚。与之相比，中国人则更多的是用"我们"为开头的句子，以至于美国人经常认为中国人缺乏独立的见解。

C. 关于"面子"

在中国文化中，为了保持人际关系和睦，下级与上级的沟通通常采用间接的，甚至是私下的方式，说话时的词句也要反复考虑。

对于美国人来说，对话应该是清晰、明确的，而不太考虑对话人是谁。一旦在工作中产生了问题或者矛盾，中国人往往会为了不使矛盾升级和保留双方的面子，停止眼前的对话，以便为日后更好地解决问题留有余地。而美国人则认为问题还没有解决谈话就结束是一种不负责任的态度，是在回避问题，从而误认为中国人没有责任心。

D. "Yes" or "No"

美国人喜欢使用清晰明了的表达方式，但对于土生土长的中国人来说，意思明确的回答，如：好与不好，对与错等都是在走极端，不给自己留余地。如：

① 中国人："你喜欢这种音乐吗？"

美国人："不，不喜欢。对我来说，这简直就是噪音。"

中国人的理解：明白了，原来他一点也不喜欢这种音乐。

② 美国人："你喜欢这种音乐吗？"

中国人："有点吵，不过，还可以。"

美国人的理解：他在说什么？他到底喜不喜欢？

	1.	直截了当	zhíjié liǎodàng	straightforward
生	2.	开门见山	kāimén jiànshān	come straight to the piont
	3.	含蓄	hánxù	implicit
	5.	和睦	hémù	harmony
	6.	间接	jiànjiē	indirect
	7.	私下	sīxià	in private
	9.	升级	shēngjí	upgrade
	10.	余地	yúdì	room
	11.	走极端	zǒujíduān	go to extremes

● **课堂讨论:**

(1) 你在和中国人做生意或交流的过程中，有没有遇到过类似的情况？

(2) 请你从这篇文章中，总结一下，中美文化的差异主要是什么？

3

业务高手

第 **9** 课

chǎn pǐn tuī jiè
产品推介

热身问题:

1. 你知道产品的价格是如何决定的吗?

2. 产品推广一般有哪些形式?这些不同的活动形式有什么样的效果?我们应该怎样选择?

3. 产品的命名有什么讲究?同样的产品采用不一样的名称,销售效果是否一样?

4. 关于产品的包装应该注意哪些方面?

第一部分▶ ◀图片阅读

1 上市策略

市场部的同事正在向大家介绍新产品的上市策略

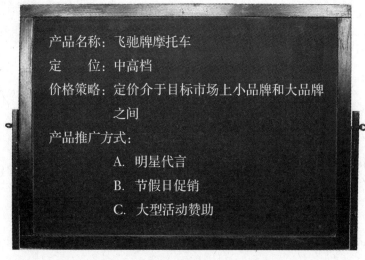

产品名称:飞驰牌摩托车
定　　位:中高档
价格策略:定价介于目标市场上小品牌和大品牌
　　　　　之间
产品推广方式:
　　　A. 明星代言
　　　B. 节假日促销
　　　C. 大型活动赞助

生词			
1.	定位	dìngwèi	position
2.	中高档	zhōnggāodàng	medium and high class
3.	代言	dàiyán	represent; speak on one's behalf
4.	赞助	zànzhù	sponsor

● **根据图片判断对错：**

(1) 这种产品是汽车。（　　）

(2) 这种产品属于低档品。（　　）

(3) 这种产品的价格很高。（　　）

(4) 这种产品会请名人做广告。（　　）

(5) 这种产品在节假日会有优惠。（　　）

(6) 这家公司会赞助一些活动。（　　）

2 目标消费人群

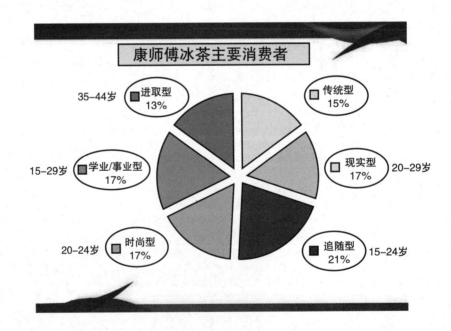

生词			
1.	进取	jìnqǔ	make progress
2.	传统	chuántǒng	tradition
3.	事业	shìyè	career

4. 追随　　　　zhuīsuí　　　　pursuit
5. 现实　　　　xiànshí　　　　reality

● **根据图片填空:**

康师傅冰茶的主要消费者有_____种类型，分别是_____、_____、_____、_____和_____。其中，追随型的消费者以_____％的比例排在第一位，他们的年龄在_____岁至_____岁之间；排在第二位的是_____型、_____型和_____型的消费者，所占的比例都是_____％；第三位是_____型的消费者，占_____％。

3 宣传海报

● **根据图片判断对错:**

(1) 这种豆腐花有多种颜色。(　　　)

(2) 制作这种豆腐花用的是现代先进的科学技术。(　　　)

(3) 这种豆腐花营养丰富。(　　　)

(4) 这种豆腐花有化学污染。(　　　)

(5) 这种豆腐花不是绿色食品。(　　　)

(6) 这个牌子的豆腐花是全国连锁的。(　　　)

第二部分 ▶◀ 阅读技巧: 根据句法搭配关系猜词

在第二单元，我们学习了根据上下文的语境来猜词。在这一单元中我们还需要学习如何通过句法的搭配关系来猜词。比如："下雨的时候他喜欢喝一杯热热的卡布奇诺。"虽然我们没学过"卡布奇诺"，也可以通过动词"喝"猜到，"卡布奇诺"一定是一种喝的东西。商场中的产品数量众多，解每种产品的功能，掌握推广介绍中所使用的词，不是一件容易的事。尝试通过这种方法，猜一猜厂家向你推广的产品的功能。

××牌抗UV两用防晒粉饼（powder），厚度只有0.01微米，却能有效<u>遮盖</u>泛红及不均匀肤色（color of skin）。

前半句介绍的是防晒粉饼，后半句提到泛红及不均匀的皮肤颜色，那么通过前后文和动词的搭配关系，以及对粉饼的常识，我们可以猜出"遮盖"应该是"挡住，看不到"的意思。

● **四个同学一组，根据句法搭配关系猜猜下列句子中画线部分生词的意思，并把猜测结果跟其他组的同学交流一下：**
(1) 手感柔软舒适，不易起毛球，色彩鲜艳不易褪色。洗后不缩水。
(2) 在寒冷的冬季，穿一件又轻又软的羽绒服，会让你感觉温暖如春。
(3) 在交易会上，厂家向我们展示了很多样品。
(4) 今天晚上的庆功宴上；咱们喝瓶茅台怎么样。

第三部分 ▶ ◀ 实用阅读

1 推广方案：目的和计划

下文是某公司为推出新款电动车所做的推广计划。

一、推广目的

1. 让目标消费群在最短的时间内了解新产品的功能、效果，缩短新产品推广的时间。

2. 使目标消费群产生试用欲望，并逐步将其培育成品牌忠诚者。

3. 提高品牌知名度。

4. 提高产品的销量。

5. 提升经销商的信心和积极性。

二、推广计划

1. 广告

广告主要强调产品的特性、品牌差异以及消费者所能得到的利益。

广告媒介以电视、报纸为主。电视广告主要在省级电视台和市级电视台播出。报纸广告的目的是招商，同时充分借助杂志和网站进行宣传。

2. 促销

在节假日进行形式多样的促销活动，以达到提高××牌电动车的知名度及销售额的效果。主要形式有：打折、赠送礼物等。

3. 市场营销

(1) 为有重大影响的活动提供赞助。

(2) 为特定群体免费提供××牌电动车。

生词				
	1.	缩短	suōduǎn	shorten
	2.	欲望	yùwàng	desire; wish
	3.	培育	péiyù	cultivate; raise
	4.	针对	zhēnduì	be aimed at
	5.	经销商	jīngxiāoshāng	agency; dealer

● **根据文章选择正确答案（可多选）：**

(1) 这是（　　）产品的推广计划。

　　A. 汽车

　　<u>B.</u> 电动车

　　C. 自行车

(2) 文中提出了（　　）种推广方法。

　　A. 1

　　B. 2

　　<u>C.</u> 3

(3) 下列属于产品推广目的的有（　　　）。

A. 吸引消费者 ← attract consumers

B. 提高品牌知名度和销量

C. 提升经销商的信心和积极性

(4) 这个产品将在（　　　）投放广告。

A. 电视

B. 报纸

C. 杂志和网络
　　　　online

● **课堂讨论：**

如果这个公司所在的城市要举办奥运会，这个公司会赞助这次活动吗？为什么？这样做有什么好处？

2 推广方案：部门职责

相关部门职责	
招商部	负责制订整体的招商方案，组织招商活动
市场部	负责市场调研、营销策划和广告管理等工作
销售部	负责产品的销售、行业一线信息及客户反馈意见的收集
物流部	负责零配件的采购、产品的配送
客服部	负责客户关于产品技术方面的咨询、产品售后服务工作
市场部工作进度安排	
3月10日—3月31日	进行充分准备和市场调研
4月1日—4月30日	选择当地报纸、杂志、网站进行宣传
4月5日—4月10日	向部分人群赠送产品并做适当报道
4月7日—4月30日	针对产品终端开展促销活动

	生词			
1.	招商	zhāoshāng	attract investment
2.	配送	pèisòng	delivery
3.	物流	wùliú	logistics
4.	客服	kèfú	customer service
5.	调研	diàoyán	investigate and survey
6.	终端	zhōngduān	terminal

● **根据表格把各部门和对应的工作职责用线连接起来：**

A	B
市场部	产品销售
招商部	营销策划
客服部	产品配送
销售部	售后工作
物流部	招商活动

● **根据表格填空：**

(1) 3月份，＿＿＿＿＿＿部要进行充分准备和市场调研。4月份，这个部门还需通过＿＿＿＿＿＿、＿＿＿＿＿＿和＿＿＿＿＿＿进行＿＿＿＿＿＿工作。

(2) 该公司的促销方法包括：向一些人＿＿＿＿＿＿并＿＿＿＿＿＿；针对＿＿＿＿＿＿，如零售店，开展促销活动。

● **课堂讨论：**

请你根据"客户反馈意见"的前后搭配关系，猜猜"反馈"是什么意思。

3 冰泉啤酒中秋节和国庆节促销方案

促销方案一：

中秋节、国庆节当日，在各大酒楼举办"冰泉中秋'全家福'"、"冰泉国庆'合家欢'"活动：凡前往酒楼消费的都可获得冰泉公司为其（以家庭或朋友团体为单位）免费赠拍的一张"全家福"顾客纪念照片，该照片用冰泉相框镶嵌赠送。

促销方案二：

中秋节当天，在各大酒楼布置背景板，上面写着"冰泉中秋大团圆"，其中"团圆"两字隐去。凡消费冰泉啤酒的顾客都可获得一个心形卡片，揭开后呈现不同字样，如果与背景板中所缺的字吻合，当日可免费赠饮冰泉啤酒。

10月1日国庆节当日，在各大酒楼布置转盘，上面刻着不同的优惠额度，最高奖项为免费赠送。凡消费冰泉啤酒3瓶以上的顾客都可获得一次转盘机会，根据指针的指位，享受相应的优惠额度。

	1.	相框	xiāngkuàng	photo frame
生词	2.	背景	bèijǐng	background
	3.	团圆	tuányuán	reunion
	4.	吻合	wěnhé	fit
	5.	额度	édù	quota
	6.	指针	zhǐzhēn	indicator

● **根据短文判断对错：**T or F

(1) 在方案一中，促销的方法是给来酒楼的消费者免费拍照。（ T ）ᵀ

(2) 在方案一中，送给消费者的照片用冰泉的相框镶嵌，相框要收费。（ ）ᶠ

(3) 在方案二中，如果你的"团"或"圆"字和背景板的完全一样，你的冰泉啤酒就是免费的。（ ）

(4) 在方案二中，国庆节时，只消费一瓶冰泉啤酒就可以转一次转盘。（ ）

(5) 在方案二中，国庆节时，转盘上的优惠都是一样的。（ ）

● **比较这两种促销方案，回答问题：**

(1) 在方案一中，选择在中秋节和国庆节拍"全家福"的作用是什么？

1ˢᵗ Feb → (2) 方案一和方案二的优缺点分别是什么？如果你是公司的老板，你会选择哪种方案？

● **课堂讨论：**

(1) 学习了"相框"后，请你猜猜"用冰泉相框镶嵌赠送"中的"镶嵌"是什么意思。

(2) 比较以上两种促销方案，和你的同学讨论：①方案一中，在中秋节和国庆节拍"全家福"纪念照片的意义是什么？②方案一和方案二的优缺点分别是什么？如果你是公司的老板，你会选择哪种方案？（提示：促销成本、促销效果、消费者的兴趣）

第四部分 ▶ ◀ 拓展阅读

1 给产品起个好名字

20世纪50年代美国福特汽车公司（Ford）推出了一种中型的客车，命名为"艾特塞尔"（Edsel），新产品投入市场后销售情况不佳。原来，车名"艾特塞尔"听起来像是"难卖"（hard sell），并且与市场上一种名叫"阿特塞尔"（Hardsel）的伤风药读音非常相似，让人觉得"此车有病"。福特公司为此蒙受了近5亿美元的经济损失，"艾特塞尔"也因此成为世界营销史上最著名的汽车产品失败的惨例。

无独有偶，20世纪60年代中期，美国通用汽车公司（General Motors）向墨西哥市场推出新款汽车——"雪佛兰·诺巴"，可是该车型销量不佳。"诺巴"的意思是"新星"，可是为什么汽车商们对它不感兴趣呢？原因是，"诺巴"在西班牙语意味着"走不动"。"走不动"的车当然是唤不起消费者的热情了。

可见，好的品牌名字要与本土文化相契合，才能使消费者容易接受，从而促进销售。例如，在中国这样一个有着深厚传统文化的市场，一个具有"中国味"的名字当然会更受欢迎。在韩系车中，东风悦达起亚推出的车型都有一个中国名字，"千里马"、"嘉华"和"远舰"分别代表着东风悦达起亚在陆上、天空和海洋称霸的雄心；上海通用汽车的"君威"显示出的则是"君临天下、威风振天"的气势，这与"君威"的市场定位十分吻合，也取得了很好的效果。这种既不失品位，又有效融合中国地域风情的命名方式，极大地迎合了中国消费者的认同，也确保产品能在市场上有着较高的占有率。

1.	伤风	shāngfēng	cold
2.	蒙受	méngshòu	suffer
3.	惨	cǎn	miserable
4.	无独有偶	wú dú yǒu ǒu	it happens that there is a similar case
5.	受阻	shòuzǔ	impede; hinder
6.	契合	qìhé	agree with

7. 称霸	chēngbà	dominate
8. 雄心	xióngxīn	ambition
9. 融合	rónghé	mix together

● **根据文章选择正确答案：**

(1) 福特汽车公司的"艾特塞尔"汽车不受欢迎的原因是（　　）。

    A. 太贵了

    B. 款式不好看

    C. 车名与一种药的读音相似

(2) 墨西哥汽车商们为什么对通用汽车公司的"雪佛兰·诺巴"不感兴趣？

    （　　）

    A. 颜色不好看

    B. "诺巴"在西班牙语中的含义不好

    C. 汽车商们不喜欢外国品牌

(3) 韩系汽车"千里马"、上海通用汽车的"君威"在中国受欢迎的原因是

    （　　）。

    A. 符合中国文化

    B. 很有中国味

    C. 以上都对

● **课堂讨论：**

(1) 你认为产品命名重要吗？为什么？

(2) 如果产品的名称不受市场欢迎，你会怎么解决？

(3) 给产品命名时要注意什么？

2　产品包装学问大

    牙膏是我们生活中必不可少的日用品，因此市场竞争十分激烈。国际牙膏巨头美国高露洁公司在进入中国牙膏市场以前，曾做过大量的市场调查。他们发现，中国牙膏市场虽然竞争激烈，但同质化竞争严重，尤其是牙膏的包装平淡无奇。因此，高露洁采用了创新的内包装——复合管塑料，并用中国消费者非常喜欢的红色作为外包装的主题色彩，结果大获成

功。在短短的几年时间内，高露洁牙膏占领了中国三分之一的市场份额。

高露洁的成功，大大地触动了中国牙膏企业的神经。包括"中华"、"两面针"在内的多个牙膏品牌都放弃了使用多年的铝制材料作为内包装，取而代之的是更方便、卫生、耐用的复合管塑料包装。除了在包装材料上进行改革以外，国内牙膏品牌也创新了外包装设计，基本都换上总体感觉清新自然，并且更具有时代感和流行元素的新包装。

某工业设计公司产品设计部的王经理告诉记者："过去我们的企业对产品的包装不重视。在和国外企业的竞争中才发现，一个有创意的好包装往往意味着更多的市场份额。于是我们才开始意识到包装的重要性，并努力地制造出富有中国特色和审美习惯的包装。"

高露洁公司成功的背后，也曾支付过昂贵的学费。高露洁在进入日本市场时，由于没有经过详细的市场调研，直接采用了美国本土大块的红色包装设计，而忽视了日本消费者喜欢白色的审美习惯，导致高露洁牙膏在进入日本市场时，出乎意料地滞销，市场占有率仅为1%。

1.	巨头	jùtóu	magnate
2.	同质化	tóngzhìhuà	homogenization
3.	平淡无奇	píngdàn wúqí	appear trite and insignificant
4.	复合管	fùhéguǎn	composite pipe
5.	创意	chuàngyì	originality
6.	元素	yuánsù	element
7.	意味	yìwèi	mean
8.	意识	yìshí	be aware of
9.	富有	fùyǒu	rich
10.	审美	shěnměi	taste
11.	忽视	hūshì	ignore
12.	导致	dǎozhì	lead to
13.	出乎意料	chū hū yìliào	beyond one's expectation
14.	滞销	zhìxiāo	unmarketable

● **根据文章回答问题：**

(1) 高露洁是如何成功进入中国市场的？

(2) 高露洁的成功给中国的牙膏企业带来了什么变化？

(3) 高露洁进入日本市场失败的经验说明了什么？

(4) 你认为产品的包装重要吗？为什么？

● **课堂讨论：**

(1) 猜猜"触动了……神经"以及"支付……学费"在文章中是什么意思。

(2) 找找高露洁牙膏在不同国家的包装有什么不一样的地方，和同学讨论一下原因。

第 **10** 课

xún zhǎo xiāo lù
寻找销路

热身问题:

1. 如果你有一家自己的公司，你会选择什么样的方式来销售产品?
2. 如果有很多中间商愿意代理你公司的产品，你会怎么选择?

第一部分 ▶ ◀ 图片阅读

1 寻找销路

某德国公司刚刚进入中国市场，市场部正在开会讨论如何给产品找销路。

> A
>
> 我们也可以考虑一下直销。
>
> 我建议通过代理开拓销路。
>
> 我觉得经销商好一些。

1.	销路	xiāolù	market
2.	直销	zhíxiāo	direct selling
3.	稳定	wěndìng	steady
4.	利润	lìrùn	profit
5.	让利	rànglì	surrender part of the profits

● **根据图片回答问题：**

(1) 这次会议上提到了几种销售渠道？分别是哪些？

(2) 代理、经销和直销的特点是什么？

(3) 如果你是市场部的员工，你会选择哪种销售渠道？为什么？

2 寻找经销商的途径

这家德国公司决定通过经销商销售产品。秘书玛丽正在整理今天开会的讨论结果。

寻找经销商
1. 刊登招商广告（电视、网络、报纸）
2. 在本地黄页上查找
3. 登录B2B网站，如阿里巴巴，中国行业信息网等等
4. 参加广交会、相关展会
5. 举办产品展示会
6. ……

	1. 刊登	kāndēng	publish
	2. 黄页	huángyè	telephone directory
	3. 登录	dēnglù	log in
	4. 产品展示会	chǎnpǐn zhǎnshìhuì	products exhibition

● **根据图片判断对错：**

(1) 他们打算在电视、报纸和杂志上刊登广告。（　　）

(2) 可以电话通讯录上寻找经销商。（　　）

(3) 在网站上不能寻找到经销商。（　　）

(4) 参加展会也能吸引经销商。（　　）

● **课堂讨论：**

你还能想到其他寻找经销商的途径吗？把你的想法补充上去。

3 选择经销商

这家德国公司的产品吸引了很多经销商，他们寄来了相关资料。以下是其中两个经销商的资料：

A
- 经营状况良好
- 资金和配送能力强
- 合作意愿强烈
- 声誉好

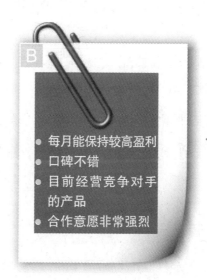

B
- 每月能保持较高盈利
- 口碑不错
- 目前经营竞争对手的产品
- 合作意愿非常强烈

	1. 意愿	yìyuàn	wish
	2. 声誉	shēngyù	reputation
	3. 口碑	kǒubēi	public praise

● **课堂讨论：**

三个人一组，假设你们是市场部的员工，讨论一下：

(1) 你们会选择这两个经销商吗？为什么？

(2) 你们认为经销商要符合什么条件？

第二部分▶ ◀阅读技巧：提取句子的主干

提高阅读速度的关键是连贯阅读，不要在个别词句上停留太长时间。什么地方应该跳跃，什么地方应该停留，这要求学习者掌握句子的基础成分和结构，懂得提取句子的主干。

汉语的句子有六大成分：主语、谓语、宾语、定语、状语和补语。通常把主语、谓语和宾语叫做主要成分，又叫做句子的主干。定语、状语和补语是附加成分，它们是用来修饰、限制或者补充、说明句子主要成分的，又称为句子的枝叶。因此，这里说的提取主干，就是找出句子的主、谓、宾语。如：

昨天阿里在新华书店买的那本刚出版的畅销小说讲述了一个未成年少女误入歧途的故事。

句子的主干是"小说讲述了故事"。其余成分都是用来补充说明的。这样大大地缩短了句子，有助于更好地理解句子的意思。

句子的成分复杂主要由两种原因造成：复杂的定语和复杂的状语。

复杂定语

定语是主语、宾语前的修饰、限制成分，常常又称为名词前的附加成分。定语可以是词、短语，也可以是句子。上面我们所举例句中的定语是"阿里在新华书店里买的、那本、刚出版的、畅销"，这些定语包括了地点、指代、时间、性质等；宾语前的定语是"一个未成年少女误入歧途"，这是一个主谓短语充当的定语。如：

（那位留着长发、眼睛大大的）姑娘是（我）（在法国学法语的）姐姐。

复杂状语

状语是谓语里的另一个附加成分，它附加在谓语中心语的前面，对谓语中心语进行修饰或限制。句首状语又称为全句修饰语，常常由时间词或介词短语充当。谓语前的状语则用来表示时间、地点、性状、程度、方式、对象等意义。状语复杂是造成句子难的一个原因。识别复杂定语与状语才能准确地抽取主干，达到准确而快速地理解句子的目的。如：

（一位来自韩国的）体操明星【在中国学习期间】【跟一位中国体操王子】结婚了。

句子的主干是"体操明星结婚了"。其中"在中国学习期间"和"跟一位中国体操王子"就是时间状语和对象状语。再如：

【为了能说好汉语，】阿里【常常】【给中国老太太】讲故事。

其中"为了能说好汉语"是句首状语，"常常"和"给中国老太太"是谓语前的状语。

● **找出下列句子的主干：**

(1) 当电子商务网站如雨后春笋般成长的时候，一些业内人士认为，电子商务网站要实现赢利，需要从虚拟世界走向现实世界，与传统产业紧密结合。

(2) 电子商务作为一种革命性的现代商务模式，在我国有很大的发展空间。

(3) 去年以来，石家庄制药集团、哈尔滨制药集团、山东鲁南制药集团与西安利君制药股份有限公司这4家国内药业巨头投资了北京求恩公司搭建的医药通网站。

(4) 目前我国还没有足够的基础条件来确保这两种模式的成功运作。

(5) 供应商与采购商成交后，医药通还从中收取了交易额千分之五的服务费。

(6) 应运而生的电脑出租业在一定程度上缓解了电脑不菲的价格给人们带来的经济压力。

(7) 他可以轻而易举地从您的邮件列表中删除他的电子邮件地址。

(8) 上海与日俱增而又无法及时完全处理的生活废水、垃圾和粪便造成的生活污染成为环境污染的头号威胁。

(9) 对带有不健康或殖民文化色彩、有损国家利益和民族尊严、违反当地民族和宗教习惯，或者可能对公众造成欺骗或者误解的企业名称，全部不准登记。

(10) 北京市拥有90多座反映历史、科技、体育、艺术等方面内容的博物馆。

● 给下列句子加上定语或者状语：

(1) _____电脑坏了。

(2) _____姑娘_____结婚了。

(3) _____歌星_____签名。

(4) _____手机_____通讯工具。

(5) _____人收入高。

(6) _____小孩子_____游泳。

第三部分 ▶ ◀ 实用阅读

1 肯德基加盟：不从零开始

肯德基的加盟模式

肯德基在中国采取的加盟模式是"不从零开始"的特许经营模式，就是把一家成熟的肯德基餐厅整体转让给加盟申请人，同时授权加盟申请人继续使用肯德基的品牌进行经营。换言之，加盟商接手的是一家已在营业的肯德基餐厅，而不是另开新餐厅，因此加盟商无需"从零开始"。这样就避免了加盟商自行选址、筹备开店、招募及培训新员工等大量繁复的工作。

理想的加盟商

肯德基对加盟商的要求

1. 具有良好的商业意识；

2. 有丰富的人员管理经验；

3. 认同百胜企业的文化；

4. 具备长远发展的潜力；

5. 能长期投入并亲自经营；

6. 财务状况良好；

7. 理解餐饮、零售行业的运作模式。

肯德基的加盟费用

1. 加盟初始投入：

- 加盟初始费；

- 接店前的餐厅培训费用；

- 人民币200万元以上的餐厅购入费用。

2. 持续经营期间需缴纳费用：

- 特许经营持续费用：按餐厅营业额的6%；

- 广告及促销费用：不低于餐厅营业额的5%。

每个餐厅的购入费用会根据该餐厅的具体情况进行计算。加盟商可安排一定比例的贷款，但是在该项目中投入的自有资金的比例不能少于50%。

	生词		
1.	加盟	jiāméng	join in
2.	模式	móshì	model
3.	特许经营	tèxǔ jīngyíng	franchise
4.	接手	jiēshǒu	take over
5.	避免	bìmiǎn	avoid
6.	筹备	chóubèi	prepare
7.	招募	zhāomù	recruit
8.	零售	língshòu	retail
9.	缴纳	jiǎonà	pay
10.	贷款	dàikuǎn	loan

● **根据短文选择正确答案（多选）：**

(1) 关于"不从零开始"的特许经营，正确的说法是（　　　）。

A. 加盟商接手的是一家成熟的KFC餐厅

B. 加盟商要重新招聘员工

C. 肯德基把正在经营的餐厅整体转让给加盟商

(2) "不从零开始"特许经营的好处是（　　　）。

A. 加盟商要重新选址开店

B. 加盟商不用再筹备开新店

C. 加盟商接手的餐厅的员工都是接受过培训的

(3) 要加盟肯德基要具备的条件有（　　　）。

A. 有丰富的人员管理经验

B. 财务状况良好

C. 理解餐饮、零售行业的运作模式

(4) 关于肯德基的加盟费，不正确的是（　　　）。

A. 肯德基的加盟费只要200万元

B. 加盟商可以安排低于50%的贷款

C. 广告及促销费用不低于餐厅营业额的4%

● **课后活动：**

1. 请调查一下在你的国家，加盟肯德基的模式和费用与中国市场一样吗？

2. 请调查一下在中国加盟麦当劳的模式和费用，并与肯德基的模式做比较。

2 直销VS.传统营销：美颜牌化妆品营销方案比较

	直　销	传统营销
模式	店铺+直销员	产品经过中间商到达消费者，并配合一定的推广促销手段
成本	生产成本、运营成本（包括直销员的奖金和管理费用）、税	生产成本、销售环节的费用（如广告、仓储、运输、管理、工资等等）、税
销售渠道	通过直销员把公司的产品直接送达消费者手中	厂家→总经销商→省经销商→市经销商→批发商→零售商→消费者

续表

	直　销	传统营销
价格	直销是产品从厂家出发，经过直销商直接到达消费者手中的一种营销模式。这种销售模式节省了许多中间环节，因此节约了成本，从而降低了产品的价格，使买卖双方都获得了利益	货物由产品变成商品所经历的中间环节多，而且每经过一个环节都要加价，增加了消费者的负担

生词			
1. 奖金	jiǎngjīn	bonus
2. 仓储	cāngchǔ	storage
3. 渠道	qúdào	channel

● **根据短文判断对错：**

(1) 直销的成本可能比传统的营销模式低。（　　）

(2) 直销的销售渠道和传统的营销模式一样长。（　　）

(3) 直销不须经过很多中间商。（　　）

(4) 传统的销售过程要经过多个环节。（　　）

(5) 传统的销售模式，每经过一个环节就要加价。（　　）

(6) 传统的销售渠道比直销更直接。（　　）

● **课堂讨论：**

(1) 比较上面两个营销方案，说说直销模式有什么优势和弊端。

(2) 你买过直销公司的产品吗？你能举一些直销公司的例子吗？

3　Bob 的代理生意经

　　Bob 从事校园代理的时间不长，不过盈利不少。他有自己的一套"生意经"。他认为做代理，就要卖名牌的东西。这样才能以大大低于市场价的零售价卖出，从而盈利。另外，代理的产品要有特点，区别于代理市场上已有的产品。

　　他代理的是名牌MP3。产品都是朋友从加工厂直接拿过来给他的，因为是名牌，所以成本不低。而且每次去提货都要谈价格，波动也大。但大学

133

生都很喜欢他的MP3，一是因为价格确实优惠，比市价低100～150元；二是售后服务"人性化"：一年内有技术问题，包换全新机器，而且提供长期保修。如果退回来的机器在修理完后，质量仍然不错，他也会出售，但是会注明是修理过的，而且价格会下降50～60元。因此，他的MP3销路很好，两个月来已经售出了30多个。利润也很乐观，每台盈利近150元。

Bob不必自己囤货，而是和买方协商好，价格定了才向朋友拿货，所以没有积货风险。不过太高级的数码产品，一旦机器有什么故障，就只能自己承担损失，坏一台就等于损失了卖出10台所得的利润。

生 词	1.	生意经	shēngyìjīng	business experience
	2.	波动	bōdòng	fluctuate
	3.	人性化	rénxìnghuà	humanization
	4.	保修	bǎoxiū	guarantee repair
	5.	囤货	túnhuò	store goods
	6.	协商	xiéshāng	consult with
	7.	风险	fēngxiǎn	risk
	8.	数码	shùmǎ	digital

● **根据文章选择正确答案（多选）：**

(1) 下列哪些是Bob的生意经？（　　）

　　A. 要代理名牌

　　B. 要代理特别一点的产品

　　C. 要代理贵的产品

(2) 下列关于Bob代理的产品，正确的是（　　）

　　A. 他代理的是MP3

　　B. 他代理的MP3成本很低

　　C. 他直接从加工厂进货

(3) Bob代理的产品很受欢迎的原因是（　　）

　　A. 价格实惠

　　B. 售后服务很人性化

　　C. 长期保修

(4) 关于Bob做校园代理的风险，说法正确的是（　　　　）

　　A. 有囤货的风险

　　B. 有承担损失的风险

　　C. 有面临竞争的风险

● **课堂讨论：**

(1) 对于一个在校大学生来说，你认为做校园代理有什么好处和坏处？

(2) 如果你想当校园代理，你会选择什么产品？为什么？

(3) 你做过校园代理或其他的生意吗？如果有，请你和大家分享你的生意经。

第四部分▶ ◀拓展阅读

1 海尔与三洋的双赢合作

　　2002年1月，中国"海尔"开始进军日本家电市场。日本是世界的"家电王国"，中国的海尔如何在世界著名的家电制造王国占有一席之地呢？建立一个市场，不仅要有自己的品牌，而且要有自己的销售渠道。日本是世界家电企业密集的国家，同时其销售成本也非常高。因此，以当时海尔的实力在日本自行建立一套完整的销售体系是不现实的，只有借助大公司现有的销售体系才能打进日本市场。于是，海尔选择了与三洋电机合作。

　　2002年1月8日，海尔集团与日本三洋电机公司正式签订了合作意向书。2002年2月海尔和三洋成立三洋海尔株式会社，两家公司开始在中国和日本的合作销售。

　　海尔与三洋电机的合作主要包括三个方面：第一，海尔集团通过三洋电机公司在日本的销售网点开展海尔电器的销售业务；第二，三洋电机为海尔提供液晶技术，海尔成为三洋的零部件加工商；第三，三洋电机通过海尔集团在中国的销售网点在中国销售三洋的产品，并通过海尔在中国的服务网点修理其产品以及更换零部件。

海尔与三洋的合作取得了双赢的结果。2002年5月，三洋海尔株式会社销售的海尔品牌家电全面进入日本家电市场，其售价与日本名牌的家电相当。海尔被业界称为第一个被日本消费者接受的非本土品牌。与此同时，三洋电机通过海尔强大的营销网络进入中国市场。通过双方的合作，三洋公司利用中国最大的销售网实现了三洋产品在中国的销售，而海尔集团也成功地打入日本市场，并成为三洋公司稳定可靠的零部件供应商。

词汇			
1.	密集	mìjí	concentrated
2.	体系	tǐxì	system
3.	液晶	yèjīng	liquid crystal
4.	双赢	shuāngyíng	win-win

● **根据文章回答问题：**
(1) 海尔进入日本市场是如何建立销售渠道的？
(2) 海尔这样建立销售渠道的做法有什么好处？
(3) 为什么说海尔与三洋的合作是双赢的合作？

● **课后活动：**
请你调查一下当时海尔为什么选择和三洋合作而不选择日本的其他公司。

2 安利的成功之道

美国安利公司（Amway）是世界知名的日用消费品生产商及销售商。

直销一直被安利公司看做是最有效的营销方式。然而，1998年，当安利兴冲冲地准备在中国掀起一场直销风暴时，中国政府全面禁止传销（包括直销）活动，安利遇到了前所未有的尴尬。同年4月，安利开始在中国寻求新的生存方式。

　　1998年7月经批准，安利（中国）日用品有限公司正式采用新的营销方式，变直销为"店铺+雇佣推销员"的经营模式。自此，安利40多年来在全球80多个国家和地区均通过直销员销售产品的传统被彻底打破。转型后的安利把原来分布在全国的20多个分公司改造成为第一批店铺，而后又陆续对这些店铺进行扩充。所有产品明码标价，消费者可以直接到专卖店自行选购，杜绝推销员自行定价带来的问题。

　　"店铺+雇佣推销员"模式是安利在中国市场转型的最主要内容。"店铺+雇佣推销员"渠道模式有三个方面的优势：第一，保证了产品质量：通过直销模式，安利的消费者基本上不会遇到假冒伪劣的产品；第二，提供了很好的销售渠道：店铺既是公司形象的代表，又为营销人员提供后勤服务，并直接面对普通消费者，让消费者和政府都因为实体店铺的存在而更加放心；第三，这种模式可直接受益于安利（中国）积极的市场推广手法。

　　"店铺+雇佣推销员"的新型经营模式成功地推进了安利在中国的转型进程。公司财务报告显示，在2002～2003财政年度中，安利（中国）的销售额已超过10亿美元，在公司49亿美元的全球销售额中占两成。安利的总裁黄德荫说："安利（中国）的成功充分说明了规范经营的直销企业，在快速发展的中国市场上拥有广泛的空间。"

● **根据文章回答问题：**

(1) 安利是哪一年进入中国市场的？

(2) 安利在其他国家采用的营销方式是什么？

(3) 安利在中国遇到了什么样的尴尬？

(4) 1998年以后，安利在中国采取了什么样的新型营销方式？这种方式和传统的直销相比，有什么不一样的地方？

(5) 采用新的营销方式后，安利中国的发展怎么样？

● **思考并讨论：**

(1) 你购买过直销的产品吗？请说出一些直销的品牌。

(2) 直销和店铺经营相比较，分别有什么优缺点？

(3) 规范经营的直销和传销，有什么不同？

(4) 请你分析安利（中国）的渠道转型成功的原因。

第 11 课

Guǎng jiāo huì
广交会

热身问题:

1. 你参加过广交会吗？你知道广交会每年
   什么时候举行吗？

2. 如果有机会，你会去广交会当翻译吗？

3. 你需要办理什么手续才能参加广交会？

第一部分▶ ◀图片阅读

1 在线申请广交会展位

生词	1. 在线	zàixiàn	online
	2. 届	jiè	session

● **根据图片选择正确答案：**

(1) 如果你以前参加过广交会，那么申请展位的方法是（　　）。

　　A. 注册——登录——申请

　　B. 登录——申请

　　C. 直接申请

(2) 登录时要输入（　　）。

　　A. 用户名　　　B. 密码　　　C. 用户名和密码

(3) 如果你是第一次参加广交会，首先要（　　）。

　　A. 注册　　　B. 登录　　　C. 申请

(4) 图中是通过（　　）的方式申请展位。

　　A. 报纸　　　B. 打电话　　　C. 网络

2 参会证件

● **根据图片选择正确答案：**

(1) 如果你代表公司带着产品去参展，你应该办（　　）证。

　　A. 采购商

　　B. 参展商

　　C. 不用办证

(2) 如果你想在交易会上购买商品到你的国家销售，那么你是（　　　）。

    A. 参展商

    B. 采购商

    C. 零售商

(3) 上图的参展商来自（　　　）。

    A. 江西

    B. 广东

    C. 天津

第二部分▶◀阅读技巧：划分词组

阅读时不是以一个词为单位来阅读，而是要以句子的意群（sense group)为单位来阅读。在汉语里意群常常是由短语（词组）构成的。在阅读时，视幅的单位起码应该是词组，而词组一般都需要两个词以上，所以我们要学会把长句子分成词组来看。学会划分词组，对于我们扩大视幅，提高阅读速度有很大的帮助。在汉语中，一般两个词就可以组成一个词组。我们来看看汉语中常见的词组类型：

1. 主谓词组：汉语很难、手表坏了；

2. 动宾词组：学习汉语、研究数学；

3. 动补词组：学会了、吃得很慢；

4. 偏正词组：汉语词典、漂亮女孩、努力学习；

5. 联合词组：汉语和英语、聪明美丽；

6. 数量词组（number and measure word group）：三次、五斤；

7. 方位词组（position phrase）：长江以南、屋子里；

● **按要求完成词组：**

例如：苹果——主谓词组 = 苹果很好吃

1. 电脑——主谓词组 =

2. 修理——动宾词组 =

3. 考虑——动补词组 =

4. 木头——偏正词组 =

5. 森林——联合词组 =

6. 回　——数量词组 =

7. 山顶——方位词组 =

第三部分▶ ◀实用阅读

1　第12届中国进出口商品交易会参展展品范围

出口展区

第一期	第二期	第三期
2012年10月15—19日	2012年10月23—27日	2012年10月31—11月4日
电子及家电类	日用消费品类	纺织服装类
照明类	礼品类	鞋类
车辆及配件类	家具装饰品类	办公、箱包及休闲用品类
机械类		医药及医疗保健类
五金工具类		食品类
建材类		
化工产品类		

进口展区

第一期	第三期
2012年10月15—19日	2012年10月31—11月4日
电子及家电类	食品及农产品类
建材及五金类	医疗保健及美容护理产品
机械设备类	礼品及装饰品类
工业原材料类	

	1. 照明	zhàomíng	illumination
	2. 保健	bǎojiàn	health protection
	3. 五金	wǔjīn	the five metals
	4. 建材	jiàncái	building material

● **根据表格选择正确答案：**

(1) 如果一家公司打算参加出口展览，产品是灯具，它应该参加哪一期？（　　）

　　A. 第二期

　　B. 第一期

　　C. 第三期

(2) 如果一家海外采购商要采购瓷砖和服装，应该参加进口展区的哪一期？（　　）

　　A. 第一期

　　B. 第二期

　　C. 第一期和第三期

(3) 如果一家美国的出口商，想向中国销售手机，应该参加哪个展区的第几期展览？（　　）

　　A. 进口展区，第三期

　　B. 出口展区，第一期

　　C. 进口展区，第一期

2 广交会办证流程

海外采购商参加广交会须先申请邀请函，办理采购商进馆证。

申请广交会邀请函的途径有：

1. 登录采购商电子服务平台在线申请；

2. 中国对外贸易中心广交会客户联络中心；

3. 中国驻当地使（领）馆经商处（室）；

4. 向广交会驻香港客商服务中心申请；

5. 中国对外贸易中心的海外合作机构；

海外采购商抵达广州后，需报到登记，领取"采购商证"后，才能自由进出广交会展览馆。

采购商报到办证的流程如下：

采购商类别	报到需凭	报到地点
持（纸质/电子）请帖的采购商	广交会纸质/电子请帖；个人有效身份证件；个人近期证件照一张及名片	中国进出口商品交易会展馆境外采购商报到处和广交会驻各宾馆报到点
网上申请IC卡的采购商	登记回执单；个人有效身份证件及名片	
曾参会的无请帖采购商	个人有效身份证件；个人近期证件照一张；名片及以往参加过广交会的证件	
无请帖的采购商	个人有效身份证件；个人近期证件照一张及名片，另需缴纳100元人民币的服务费	

备注：

1. 个人有效境外身份证件包括：港、澳回乡证或身份证、台胞证、外国护照、华侨身份有效证件或有一年以上境外有效工作签证的中国护照。

2. 个人近期证件照规格为5cm×4cm。

生词	1. 邀请函	yāoqǐnghán	invitation
	2. 途径	tújìng	ways
	3. 联络	liánluò	contact
	4. 抵达	dǐdá	arrive
	5. 凭	píng	by
	6. 请帖	qǐngtiě	invitation
	7. 回执	huízhí	receipt

● **根据短文判断对错：**

(1) 只要有邀请函就可以自由进出展馆。（　　）

(2) 申请邀请函有多种途径。（　　）

(3) 办理采购商进馆证都是免费的。（　　）

(4) 网上申请IC卡的采购商报到时不用带照片。（　　）

(5) 采购商可以在广交会展馆办证，也可以在广交会指定宾馆办证。（　　）

(6) 采购商办证时提交的证件照的规格没有要求。（　　）

● **根据短文选择正确答案：**

(1) 哪种类型的采购商不需要交照片？（　　）

　　A. 持（纸质/电子）请帖的采购商

    B. 网上申请IC卡发的采购商

    C. 曾到会的无请帖采购商

    D. 无请帖的采购商

(2) 哪种类型的采购商需要交服务费？（　　　）

    A. 持（纸质/电子）请帖的采购商

    B. 网上申请IC卡采购商

    C. 曾到会的无请帖采购商

    D. 无请帖的采购商

(3) 以下哪些是四种类型的采购商报到时都必须要带的东西？（多选）（　　　）

    A. 有效身份证件　　　　　B. 名片

    C. 照片　　　　　　　　　D. 邀请信

    E. 钱　　　　　　　　　　E. 登记回执

(4) 关于采购商报到说法正确的是（　　　）？

    A. 海外的采购商和中国国内的采购商报到都在一个地方

    B. 只能在展馆报到处报到

    C. 不管住在哪个宾馆，都可以在宾馆报到

    D. 报到领取"采购商证"才能自由进出广交会

3 广交会翻译服务使用须知

　　中国进出口商品交易会翻译服务中心隶属于广交会外事办，是权威的翻译机构和优质的译员提供方，致力于为与会客商和参展商提供优质的翻译服务。

服务语种：英语、西班牙语、意大利语、法语、俄语、日语、阿拉伯语等

服务范围：翻译中心只提供广交会开馆时间在展馆内的口译服务

收费标准：英语400~600元人民币/天/人

　　　　　　其他语种 500元~700元人民币/天/人

预订方法：

翻译预订服务开放时间为春交会的3月15日～5月5日和秋交会的9月15日~11月4日

方法一：在线预订

浏览预订流程与使用须知后，在线填写翻译预订的申请表格，我们会根据您的需求为您选择合适的翻译人员。

方法二：线下预订

非广交会开馆期间预订翻译，请联系：

电话：86-20-89138662

邮箱：ISC@cantonfair.org.cn

广交会开馆期间预订翻译，请联系：

电话：86-20-89120096

邮箱：ISC@cantonfair.org.cn

生词			
1.	权威	quánwēi	authority
2.	译员	yìyuán	interpreter
3.	致力于	zhìlìyú	devote oneself to
4.	口译	kǒuyì	oral interpretation
5.	语种	yǔzhǒng	language
6.	线下	xiànxià	offline

● **根据短文判断对错：**

(1) 海外采购商如果需要英语和印尼语的翻译服务，广交会都能提供。

（　　）

(2) 广交会翻译服务中心提供口译和笔译服务。（　　）

(3) 法语翻译收费比英语便宜。（　　）

(4) 翻译服务可以在网上预订。（　　）

(5) 在网上预订翻译服务要填写申请表，并且可以自己挑选翻译人员。（　　）

(6) 线下预订翻译服务可以打电话或者发邮件联系。（　　）

第四部分▶ ◀拓展阅读

1 新型环保文具畅销海外

报纸做的铅笔、竹子做的圆珠笔、玉米原料做的尺子……宁波文腾文具有限公司新开发的环保文具用品，不仅融入了低碳理念，款式设计上也别具匠心。

公司业务经理胡经理说，这次参展的环保低碳系列产品，依据环保理念，划分为两种类型。第一种是以天然竹子为原材料的产品。竹子易种植，相对于木头来说，生长周期较短，天然无毒害，广受欢迎，在欧洲礼品市场上尤其畅销。竹制品做工相对复杂，虽然价格比普通塑料笔贵几倍，但由于是环保材料，依然受到许多外商的追捧。

第二种是利用回收材料制作的产品，包括回收的报纸、牛皮纸、包装盒、工业废料等。这种用回收品为原材料制作的笔，不仅外形图案新颖独特，而且笔芯也不易折断。虽然工艺相对复杂，但由于成本较为低廉，价格与木质原料产品价格基本持平。

此外，还有使用可降解的原材料PLA玉米材料制作的产品。胡经理说，这种玉米材料在工业化农场里种植，区别于食用粮食的淀粉类原材料。用它制作的产品，使用后填埋3~5个月就可分解，不会造成白色污染，更不会破坏土壤，因此更为环保。

胡经理透露，发达国家和地区的环保理念较强，政府的要求也比较严格，再加上公司和公民的社会责任感，使得环保产品在欧美、韩国、日本、澳大利亚等地广受欢迎。胡经理还表示，参加广交会在宣传环保理念的同时，也能有效提升企业形象，进而提高产品的市场销量。

生词			
1.	环保	huánbǎo	environmental protection
2.	文具	wénjù	stationery
3.	竹子	zhúzi	bamboo
4.	圆珠笔	yuánzhūbǐ	ball pen
5.	玉米	yùmǐ	corn
6.	低碳理念	dītàn lǐniàn	low carbon concept
7.	别具匠心	bié jù jiàngxīn	have originality
8.	周期	zhōuqī	period
9.	毒害	dúhài	infect
10.	追捧	zhuīpěng	pursue and admire
11.	牛皮纸	niúpízhǐ	brown paper
12.	新颖	xīnyǐng	new and original
13.	降解	jiàngjiě	degradation
14.	淀粉	diànfěn	starch
15.	填埋	tiánmái	dumping
16.	分解	fēnjiě	decompose
17.	白色污染	báisè wūrǎn	white pollution
18.	土壤	tǔrǎng	soil

● **根据文章选择正确的答案:**

(1) 宁波文腾文具有限公司主要新开发了哪些新文具?（　　）

    A. 以木头和竹子为原材料的产品

    B. 以回收材料为原材料的产品

    C. 以竹子、玉米和回收材料为原材料的产品

    D. 以木头、玉米和回收材料为原材料的产品

(2) 竹子为原材料的产品受到广泛欢迎的原因是?（　　）

    A. 做工比较简单

    B. 成本比塑料制品低

    C. 容易种植，成长的时间比木头短

    D. 没有毒害，有利于保护环境

(3) 对可降解的原材料PLA玉米材料说法正确的是?（　　）

    A. 这种玉米就是我们平常吃的玉米

    B. 这种玉米材料就是在普通的农场里种植的

    C. 这种玉米材料如果不再使用了，埋到地里就可以很快分解，不会破坏土壤

D.这种玉米材料需要专门的处理才能降解

(4) 环保材料做成的产品在哪些国家更受欢迎？（　　）

    A. 中国、东南亚等盛产竹子的国家

    B. 日本、韩国、中国等亚洲国家

    C.欧洲、美国、澳大利亚等西方国家

    D.欧美、澳大利亚、日本、韩国等发达国家

(5) 企业生产这些环保类的产品有什么好处？（　　）

    A. 比普通产品利润高

    B. 比普通产品销路更多，更广

    C.提升企业形象，让大家觉得这个企业是对环境负责的企业，从而更愿意买这个企业的产品

    D.符合发达国家的要求，容易出口到发达国家

● **根据文章回答问题：**

(1) 该公司这次参展的产品是什么？有什么特点？

(2) 该公司的产品广受欢迎的原因有哪些？

(3) 你认为什么样的产品在交易会上容易吸引采购商的目光？

2 广交会：老外学精了，学会砍价了

来自英国Naturalworld公司的丽·布鲁克斯熟练地乘上广交会流花馆的地铁。

"我(1)_____广交会10年了。当年在广交会，像我这样的外国女性是非常罕见的。而现在你看到，情况已完全不同。"布鲁克斯女士笑着对记者说。现在，她与其他两个合伙人的公司，每年在广交会的(2)_____超过500万美元。

价格和质量抓牢外商眼球

广交会的价格和质量(3)_____是吸引外商的重要原因。"广交

会东西好，价格也便宜，所以在温哥华地区影响非常大。今年温哥华专门组织了一个广交会采购团。"来自加拿大亚太进口公司的维克特说。"以前我们对中国商品有疑虑，觉得质量水平不高，售后服务不到位。(4)_____现在通过广交会的实际采购，这样的印象已经改变了。"

外商都会讨价还价

"你的价格贵了。"在一个卖五金产品的展位前，一位外商说。已经历上百(5)_____的广交会培养了一批在华采购技艺相当娴熟的外商。来自美国的外商莫妮卡此次需要采购的是玻璃水、车用装饰品等。在广交会的各个相关展台前，她都要打开厚厚的一本册子，里边是(6)_____她所要采购商品的调查，(7)_____种类、性能、价格以及评估报告。每当供应商报出一个商品型号和价格时，她都会查一下自己带的调查报告，对比其中的价格和评估内容。

讨价还价，说明外商对中国产品了解更加深入，对促进中国产品出口贸易的健康发展更有好处。

不足之处有待改进

"广交会在很多方面需要进一步改进。"布鲁克斯女士说。"广交会展馆的展区应更靠近一些，这样就不用来回奔波。"展区离得太远不仅耽误时间，而且容易使人疲劳。

二是展期过长。现在广交会每届是两期。对于那些采购单一商品的外商来说，还没有什么。但如果一个外商同时对多种商品感兴趣，而这些商品碰巧又是跨展期的话，(8)_____外商就会很苦恼，因为很难在中国停留那么长时间。

第三，她认为，广州应尽快建设一批高质量的宾馆。"广交会期间宾馆的价格简直难以接受。"她说，"我们这样的公司(9)_____比较强，对住宿价格倒不敏感，但很多小公司会受不了。"她建议，广交会要加快建设一批高质量的宾馆，包括一批五星级的宾馆，同时在价格(10)_____进行合理规范，以满足世界各国采购商的需要。

生词			
1. 砍价	kǎnjià	bargain
2. 娴熟	xiánshú	skilled
3. 玻璃水	bōlíshuǐ	bath of glass
4. 讨价还价	tǎojià huánjià	bargain
5. 奔波	bēnbō	rush about
6. 耽误	dānwù	delay

● **根据文章选词填空：**

(1) (　　) A. 参加　　B. 参与　　C. 参考　　D. 加入

(2) (　　) A. 采购额　　B. 采购量　　C. 成交额　　D. 交易量

(3) (　　) A. 优点　　B. 好处　　C. 长处　　D. 优势

(4) (　　) A. 而且　　B. 反而　　C. 而　　D. 进而

(5) (　　) A. 次　　B. 届　　C. 遍　　D. 个

(6) (　　) A. 在于　　B. 关于　　C. 至于　　D. 出于

(7) (　　) A. 干涉　　B. 以及　　C. 涉及　　D. 对于

(8) (　　) A. 所以　　B. 于是　　C. 那么　　D. 可是

(9) (　　) A. 实力　　B. 力量　　C. 能力　　D. 力气

(10) (　　) A. 上　　B. 下　　C. 中　　D. 里

● **根据文章回答问题：**

(1) 刚开始来中国参加广交会的女士多不多？

(2) 布鲁克斯女士和几个人一起做生意？

(3) 广交会吸引外国人的重要原因是什么？

(4) 通过采购，维克特现在对广交会的印象是什么？

(5) 广交会还存在哪些不足?

● **课堂讨论:**

(1) 你会不会在广交会上讨价还价? 讨价还价最有效的方法是什么?

(2) 你觉得广交会有哪些优点? 哪些不足?

第 **12** 课

pī fā shì chǎng
批发市场

热身问题：
. . . .

1. 如果你要去批发市场采购一批货物，你会重点关心哪些方面？（如：交通、物流、货物质量等）

2. 如果你想在批发市场里开商店，你会关心哪些问题？

3. 如何在批发市场的众多摊位中找到自己想去的那几家？

4. 你熟悉自己所在城市的批发市场吗？它们在哪里？主要经营什么商品？

第一部分 ▶ ◀ 图片阅读

1 批发市场分布图

高桥批发大市场分布图

北

西   东

南

1.	干货	gānhuò	dried food
2.	日化	rìhuà	daily chemicals
3.	饰品	shìpǐn	ornaments; decorations
4.	纸制品	zhǐzhìpǐn	paper products
5.	文体百货	wéntǐ bǎihuò	department store of stationery and sports

● **根据图片选择正确答案：**

(1) 这个批发大市场中最靠近西边的是（　　　）。

　　A. 建材市场

　　B. 粮油、干货、调料城

　　C. 文体百货区

(2) 这个批发大市场中最靠近机场高速公路的是（　　　）。

　　A. 茶叶城

　　B. 纸制品城

　　C. 湘粤食品城和中国名酒饮料城

(3) 要买瓷砖和面条可以去（　　　）。

　　A. 日化城和文体百货区

　　B. 小家电城和粮油、干货、调料城

　　C. 建材市场和粮油、干货、调料城

2 批发市场楼层图

一楼

E1 普通玩具	D1 电动玩具	C1 毛绒玩具/ 充气玩具	B1 花类配件	A1 花类

二楼

E2 珠宝	D2 珠宝	C2 珠宝	B2 头饰	A2 头饰

三楼

E3 工艺品/饰品	D3 工艺品/饰品	C3 工艺品/饰品	B3 工艺品/饰品	A3 花类/饰品

生词

1.	毛绒	máoróng	stuffed
2.	充气	chōngqì	inflatable
3.	头饰	tóushì	head dress
4.	珠宝	zhūbǎo	jewelry
5.	工艺品	gōngyìpǐn	handcrafts

● **根据图片回答问题:**

(1) 每一层都分成（   ）个区。

　　A. 3

　　B. 4

　　C. 5

(2) 要采购下列产品，应分别到哪层楼哪个区？

A　　　　　　　　B　　　　　　　　C

D　　　　　　　　E

要采购A，到第_____层_____区。

要采购B，到第_____层_____区。

要采购C，到第_____层_____区。

要采购D，到第_____层_____区。

要采购E，到第_____层_____区。

第二部分▶◀阅读技巧：压缩句子

长句中常常有很多多余的成分，略去这些成分并不影响我们对句子意义的理解。压缩句子是指把句子中不重要的词或者成分略去不看，是我们理解长句、难句的一种方法。压缩句子主要有下面三种情况：

1. 略去不影响句子意思的并列近义词

作者在句子中使用一些并列的近义词，或者是为了渲染一种情绪、气氛，或者是为了从多个角度强调同一个观点等。我们阅读时为了提高阅读速度，可以把这些部分略去。如：

对昨天晚上发生的事，他一直感到担心、不安、惶惑、惊恐。

2. 略去无关大局的举例性词语

作者为了说明自己的观点，常常需要列举一些例子，这些例子增加了句子的长度与难度。事实上，只要能看懂一个就能明白意思，因此，后面罗列的例子可以略去不看。如：

近年来化妆品的名目越来越多，美白、保湿、防皱、柔肤、嫩肤、去斑……真是应有尽有。

3. 略去与全局主要意思无关或重复的引言

引言常常是成语、典故或俗语，有很浓重的文化色彩，作者用它来突显自己的观点，或者增加文学色彩等，对句子的意义没有太大的影响。而对外国学习者来说，理解这些内容又比较困难。因此，很多时候可以略去不看。比如：

俗话说"兵不厌诈"。对于一般的小企业来说，或许你要点小聪明，可以赚几个小钱。但是对于一个大企业，一个品牌来讲，靠欺诈行为恐怕是得不到信誉的。

● **请你看看下面这段话主要讲了什么？**

一德路邻近长堤，在清代就已是广州一个出名的批发集散地。那时的交通主要依赖一条四通八达的珠江水，遗留至今的一排排木板门，见证着一德路当年的风光。一德路的街头一年四季都飘散着腥腥的海洋气息，这条街上不但有无数临街的海味铺，还有几个大型的海味交易广场，以致很多人都只记得这里的海味，却忘了这里还卖干果、糖果。

这两段话看起来很长，但实际上就说了一件事——"一德路是卖什么的批发市场"。你能很快地找出答案吗？和你的同学们讨论一下，说说你跳过了哪些部分。

第三部分 ▶ ◀ 实用阅读

1 批发市场情况一览表

经营（　　　　）	20多万平方米
摊位面积	10~20平方米
（　　　　）	每层有2000多个摊位，共4层，顶层设有餐饮部
市场布局	分ABCDE五个区
经营（　　　　）	中高档
经营类别	男装、女装、（　　　　　）、休闲装、衬衫、外套、大衣、内衣
市场类型	（　　　　）
仓储方式	摊位放货，库房存货
广告宣传	网络广告、电视、报刊广告
（　　　　）	1~2层为每月5~7万，3层为每月1~2万（另收管理服务费等共计1200元）
营业时间	07：30—18：00
金融	顶层和附近有中国建设银行、中国银行、中国工商银行
（　　　　）	商场门口和负一层设有停车场

生词			
1.	摊位	tānwèi	booth
2.	顶层	dǐngcéng	top floor
3.	布局	bùjú	layout
4.	库房	kùfáng	storehouse

● 请用下列词语把上表补充完整：

停车场　租金　档次　批发　摊位数　面积　套装

● 根据表格判断对错：

(1) 在批发市场可以租到25平方米的摊位。（　　）

(2) 饿了可以去4楼吃饭。（　　）

(3) 车可以停在商场门口。（　　）

(4) 这个批发市场只卖高档服装。（　　）

(5) 想要租到比较便宜的摊位可以选择3楼。（　　）

(6) 批发市场附近有4家银行，取钱很方便。（　　）

(7) 晚上7点这个批发市场已经关门了。（　　）

2 批发市场调查报告

广州白马服装批发市场的优势与劣势

优势：

1. 交通便利：火车站、省汽车站、流花车站、广州市汽车站近在咫尺；

2. 物流运输发达：火车站和南方航空公司均在市场内设有货物托运办事处；

3. 人流量大：这一区域有巨大的人流量，每天达数万人次；

4. 周边商业氛围浓：在白马服装批发市场周围有红棉批发市场、步步高市场、天马市场等多个批发市场；

5. 交易方式灵活：有批发零售、看样下单、专卖代理、连锁加盟等多种交易方式；

6. 品种齐全：女装、男装、套装、晚装、休闲装、唐装、衬衫、外套、大衣、内衣等各类服装应有尽有；

7. 经营档次较高：服装批发市场主要经营中高档服装；

8. 稳定的广告投放：每年该批发市场都会在一些全国性媒体和地方媒体做大量的广告，宣传批发市场形象；

9. 起步早、知名度高：服装批发市场于1993年开业，是当时广州市经营面积最大的批发市场。

生词			
1.	近在咫尺	jìn zài zhǐ chǐ	very close
2.	看样	kànyàng	look at the samples
3.	下单	xiàdān	place an order
4.	专卖	zhuānmài	have exclusive rights to sell

● **根据短文选择正确答案。**

(1) 白马服装批发市场离车站（　　　）。

　　A. 很远

　　B. 不近

　　C. 很近

(2) 在白马服装批发市场采购了服装以后，可以通过（　　　）把货托运回去。

　　A. 火车

　　B. 汽车

　　C. 火车和飞机

(3) 白马服装批发市场附近还有红棉批发市场、（　　　）、天马市场等多个批发市场。

　　A. 黑马服装市场

　　B. 步步高市场

　　C. 沙河市场

(4) 白马服装批发市场可以批发，也可以（　　　）。

　　A. 零售

　　B. 看样下单

　　C. 以上都是

劣势：

1. 周边市场竞争激烈：在白马服装批发市场周边有红棉棉纺批发市场、步步高批发市场、天马批发市场，这些市场都在瓜分白马服装批发市场的市场份额；

2. 经营成本增加：服装制造成本的增加，导致服装进货价格提高，增加了服装的经营成本；

3. 租金较高：在白马服装批发市场内，地下商场的租金为1.5万/月，一楼为6万/月，三楼为2.5万/月，四楼为8万/月。租金明显高于其他周边市场；

4. 土地资源紧张，周边不能开发新市场：白马服装批发市场所在区域已经没有可以利用的土地，不能利用白马的品牌开发出白马童装市场、白马鞋业批发市场、白马服装装饰批发市场等等；

5. 周边治安环境较差：在火车站周边地区偷盗抢劫事件时有发生，这些事件给市场造成了负面的影响；

6. 缺乏准确的市场内部布局图：采购者不能很好地找到自己需要的批发门市部采购服装。

生词			
1.	瓜分	guāfēn	divide up
2.	治安	zhì'ān	public security
3.	偷盗	tōudào	steal
4.	抢劫	qiǎngjié	rob
5.	时有发生	shí yǒu fāshēng	happen now and then
6.	负面	fùmiàn	negative

● 根据短文判断对错：

(1) 白马服装批发市场的竞争不大。（　　　）

(2) 白马服装批发市场的服装经营成本越来越高。（　　　）

(3) 白马服装批发市场的租金不便宜。（　　）

(4) 很难在白马服装批发市场附近开发出白马童装市场。（　　）

(5) 白马服装批发市场周边非常安全。（　　）

(6) 可能得花比较长的时间才能找到你想找的批发门市。（　　）

● **课堂讨论：**

假设你是一家服装公司的职员，你和同事们讨论是否要在白马服装市场开设一个销售点。请和同学们分为两组，一组赞成，一组反对，各自阐述自己的理由。

第四部分 ▶ ◀ 拓展阅读

1 中国创造的秘密

中国制造的商品遍及全球，中国商品巨大的价格优势使中国成为了世界公认的世界工厂。中国制造强大的竞争力的秘密到底在哪里？

长期以来，很多外国人认为中国商品的价格优势是由于中国的劳动力成本和汇率低，但是随着人民币升值和中国国内工资的上涨，这方面的优势已经越来越小。论工资，现在中国东南沿海的工资水平早已高于越南、柬埔寨等周边国家，但各国的商人仍乐于选择在浙江、广东等地投资设厂。在越南开一家服装厂，如果缺乏任何的配件，哪怕一颗纽扣、一根线，都必须从香港运输才可保持生产。而这些在中国已经绝对不是问题，大量的零部件厂商，各种各样的配套产品，中国都应有尽有。

《纽约时报》的记者在考察了广东、浙江等地的"领带镇"、"皮包镇"、"皮鞋镇"、"小家电镇"之后，发出了这样的感叹："这里的每个城市分别负责你衣柜中一格抽屉。这种分工真是奇妙！"

美国《商业周刊》指出，中国产品拥有巨大竞争力的原因在于："中国经济规模巨大，在供应方面的资源非常丰富，能够使你非常方便地从数百家厂商那里买到你所需的零部件和原材料。"

广东小镇清溪（地名）生产全球份额40％的电脑磁头，30％的电脑机箱，25％的电脑高压包，以及20％的马达。完善的配套吸引了诺基亚、杜邦、菲利普等1800家电脑制造企业落户，IBM、COMPAQ等著名厂商都在东莞（地名）采购。

这种规模化、专门化的生产就叫做产业集群。正是产业集群的这种生命力，使浙江省在中国乃至世界创造了一个又一个令人瞩目的经济现象："领带之乡"嵊州（地名）年产领带2.8亿条，占全球领带市场的1/3；诸暨市大唐镇（地名）每年生产袜子90亿双，是全球最大的袜业基地；号称"中国电器之都"的乐清市柳市镇（地名）生产的低压电器在中国低压电器市场占有率超过1/3。这才是中国产品竞争力真正的秘密！

生词			
1.	劳动力	láodònglì	labour force
2.	纽扣	niǔkòu	button
3.	线	xiàn	thread
4.	应有尽有	yīng yǒu jìn yǒu	have all that is necessary
5.	抽屉	chōutì	drawer
6.	分工	fēngōng	division of labour
7.	磁头	cítóu	magnetic head
8.	机箱	jīxiāng	cabinet
9.	高压包	gāoyābāo	ignition coil
10.	马达	mǎdá	motor
11.	产业集群	chǎnyè jíqún	industrial cluster
12.	低压	dīyā	low pressure

● **根据文章选择正确答案：**

(1) 中国制造的商品遍及全世界的主要原因是（　　　）。

　　A. 质量好　　　　　B. 名牌多　　　　C. 价格便宜

(2) 根据文章，下面哪种说法是正确的？（　　　）

　　A. 中国东南沿海的工资已经比越南、柬埔寨等周边国家高了

B. 近几年中国人民币的汇率比以前低了

C. 中国的零配件必须在香港转运

(3) 广东清溪镇主要生产什么产品？（　　）

　　A. 电脑　　　　　　　　B. 电脑的配件　　C. 电器

(4) 下面哪个不是产业集群的特点？（　　）

　　A. 区域生产规模化

　　B. 区域生产专门化

　　C. 区域的自然资源丰富

(5) 中国产品竞争力真正的秘密是（　　）。

　　A. 劳动力成本低　　B. 汇率低　　　　C. 产品集群

● **根据文章填写下列表格：**

文章中提到了哪些地方，生产哪些商品，分别占全球市场多少份额？

地名	生产商品	占全球市场的份额

● **课堂讨论：**

和中国相比，你们国家产品的竞争力体现在哪里？

2 义乌小商品批发市场

　　义乌小商品批发市场，又称"中国小商品城"，坐落于浙江省义乌市，创建于1982年，是我国最早创办的专业市场之一。义乌小商品批发市场拥有260多万平方米的营业面积，50000余个商位，从业人员20多万，日客流量20多万人次，市场总成交额连续15年位居全国工业品批发市场榜首，被国家质检总局授予"重质量、守信誉"等荣誉称号，是国际小商品的流通、研发、展示中心，也是我国最大的小商品出口基地。

义乌小商品批发市场拥有43个行业、1900个大类、40万种商品，几乎囊括了工艺品、饰品、小五金、日用百货、雨具、电子产品、玩具、化妆品、文体、袜业、副食品、钟表、线带、针棉、纺织品、领带、服装等所有日用工业品。其中，饰品、袜子、玩具产销量占全国市场的1/3。产品物美价廉，应有尽有，特色鲜明，在国际上具有极强的竞争力。

义乌小商品批发市场物流发达。市场拥有200余条托运线路，直达国内200个大中城市。义乌建有浙中地区唯一的民用机场。义乌紧邻宁波、上海港，海运发达，形成了公路、铁路、航空立体化的交通运输网络。

义乌小商品批发市场商品辐射212多个国家和地区，产品销往东南亚、中东、欧美等地。其中，工艺品、饰品、小五金、眼镜等优势行业商品出口量占行业销量的70%以上；市场内60%以上的商户经营外贸业务，现长驻义乌的外商达8000多人，境外商务机构500余家。

	生词		
1.	坐落	zuòluò	be located
2.	从业	cóngyè	obtain employment
3.	榜首	bǎngshǒu	the top candidate of an exam
4.	流通	liútōng	circulate
5.	物美价廉	wùměi jiàlián	excellent quality and reasonable price
6.	紧邻	jǐnlín	be next to
7.	立体化	lìtǐhuà	multi-dimensional
8.	辐射	fúshè	radiation; radiate
9.	长驻	chángzhù	resident

● **根据文章判断对错：**

(1) 义乌小商品批发市场也叫做中国小商品城。（   ）

(2) 义乌小商品批发市场是中国刚刚创建的小商品城。（   ）

(3)　义乌小商品批发市场只批发服装。（　　　）

(4)　义乌小商品批发市场的交通运输很方便。（　　　）

(5)　义乌小商品批发市场的商品远销海外。（　　　）

● 根据文章填空：

　　义乌小商品市场_____于中国浙江省义乌市，营业面积260多万平方米，50000_____个商位，日_____20多万人次。市场_____连续15年排名第一。产品物美价廉，应有尽有，在国际上具有极强的_____。商品_____212个国家，产品_____东南亚、中东、欧美等地。现_____义乌的外商_____8000多人。

● 根据文章回答问题：

(1)　义乌小商品批发市场的商品有什么特点？

(2)　你认为义乌小商品批发市场成功的原因有哪些？

词汇表

B

白色污染	báisè wūrǎn	white pollution	11
摆平	bǎipíng	settle down	3
绑	bǎng	tie	7
榜首	bǎngshǒu	the top candidate of an exam	12
煲	bāo	stew	2
保健	bǎojiàn	health protection	11
保守	bǎoshǒu	conservative	7
保修	bǎoxiū	guarantee repair	10
保障	bǎozhàng	guarantee	2
备案	bèi'àn	put on record	6
备忘录	bèiwànglù	memorandum	6
备注	bèizhù	note	5
背景	bèijǐng	background	9
奔波	bēnbō	rush about	11
避免	bìmiǎn	avoid	10
编制	biānzhì	compose	8
遍及	biànjí	throughout	2
别具匠心	bié jù jiàngxīn	have originality	11
波动	bōdòng	fluctuate	10
玻璃水	bōlíshuǐ	bath of glass	11
不光彩的	bù guāngcǎide	disgraced	3
布局	bùjú	layout	12
部署	bùshǔ	arrange	8
部长	bùzhǎng	head of department	7

C

采购	cǎigōu	make purchases for an organization or enterprise	3
惨	cǎn	miserable	9
仓储	cāngchǔ	storage	10
策略	cèlüè	tactic	7
茶几	chájī	tea table	5
缠	chán	wind	7
产品展示会	chǎnpǐn zhǎnshìhuì	products exhibition	10
产业集群	chǎnyè jíqún	industrial cluster	12
常态	chángtài	ordinary state	6
肠胃	chángwèi	intestines and stomach	6
常务	chángwù	executive vice	3

166

长驻	chángzhù	resident	12
称霸	chēngbà	dominate	9
承包	chéngbāo	contract	2
呈现	chéngxiàn	present	4
诚信	chéngxìn	credibility and integrity	2
充电	chōngdiàn	learn more and improve one's ability	4
充气	chōngqì	inflatable	12
冲	chōng	against; towards	5
抽屉	chōutì	drawer	12
筹备	chóubèi	prepare	10
出乎意料	chū hū yìliào	beyond one's expectation	9
除夕	chúxī	New Year's Eve of China	6
传媒	chuánméi	media	1
传统	chuántǒng	tradition	9
创意	chuàngyì	originality	9
磁头	cítóu	magnetic head	12
刺激性	cìjīxìng	irritate	8
从业	cóngyè	obtain employment	12
措辞	cuòcí	wording; diction; expression	5

D

打卡	dǎkǎ	punch the clock	5
代理商	dàilǐshāng	agent	6
代言	dàiyán	represent; speak on one's behalf	9
待见	dàijiàn	like	3
贷款	dàikuǎn	loan	10
单据	dānjù	document	7
耽误	dānwù	delay	11
导致	dǎozhì	lead to	9
登录	dēnglù	log in	10
低碳理念	dītàn lǐniàn	low carbon concept	11
低压	dīyā	low pressure	12
抵达	dǐdá	arrive	11
第三方	dìsānfāng	third-party	2
颠倒	diāndǎo	reversed	9
电机	diànjī	motor	1
淀粉	diànfěn	starch	11
调研	diàoyán	investigate and survey	9
顶层	dǐngcéng	top floor	12
顶级	dǐngjí	top	4
定位	dìngwèi	position	9
董事长	dǒngshìzhǎng	chairman of the board	2

督察	dūchá	supervise	3
毒害	dúhài	infect	11
端倪	duānní	clue	4

E

| 额度 | édù | quota | 9 |

F

法人	fǎrén	legal	2
方案	fāng'àn	proposal	8
方针	fāngzhēn	policy; guiding principle	2
分工	fēngōng	division of labour	12
分捡中心	fēnjiǎn zhōngxīn	sorting centers	2
分解	fēnjiě	decompose	11
分内	fènnèi	one's job	3
分支	fēnzhī	branch	1
氛围	fēnwéi	atmosphere	4
风险	fēngxiǎn	risk	10
封闭式	fēngbìshì	closed	4
福利	fúlì	welfare	4
辐射	fúshè	radiation; radiate	12
负面	fùmiàn	negative	12
附件	fùjiàn	attachment	8
附属	fùshǔ	subsidiary	5
复合管	fùhéguǎn	composite pipe	9
赴	fù	go to	7
副总	fùzǒng	short term for deputy general manager	5
富有	fùyǒu	rich	9

G

干货	gānhuò	dried food	12
干扰	gānrǎo	disturb	6
尴尬	gāngà	embarrassed	5
干练	gànliàn	capable and experienced	3
岗位	gǎngwèi	post	1
高压包	gāoyābāo	ignition coil	12
高原反应	gāoyuán fǎnyìng	altitude sickness	7
个体	gètí	individual	2
根源	gēnyuán	source; root	2
跟进	gēnjìn	follow up	7
工地	gōngdì	construction site	6
工龄	gōnglíng	work length of service	1

168

工艺	gōngyì	technology	2
工艺品	gōngyìpǐn	handcrafts	12
公之于众	gōng zhī yú zhòng	reveal to the public	5
供应商	gōngyìngshāng	supplier	2
贡献	gòngxiàn	contribution	6
固定	gùdìng	fixed	8
顾全	gùquán	show consideration for and take care to preserve	5
顾问	gùwèn	consultant	1
瓜分	guāfēn	divide up	12
官方	guānfāng	official	1
归位	guīwèi	return the position	5
规范	guīfàn	standards	5
规划	guīhuà	planning	4
规模	guīmó	scale; scope	2
规章	guīzhāng	regulations	4
过劳死	guòláosǐ	death from overwork	6
过目	guòmù	have a look	6

H

含蓄	hánxù	implicit	8
和睦	hémù	harmony	8
合群	héqún	get on with others	3
核实	héshí	verify	2
和谐	héxié	harmonious; harmony	5
核心	héxīn	core	4
横幅	héngfú	banner	8
忽视	hūshì	ignore	9
欢送宴	huānsòngyàn	farewell banquet	83
环保	huánbǎo	environmental protection	11
缓解	huǎnjiě	ease	3
黄页	huángyè	telephone directory	10
回执	huízhí	receipt	11
汇报	huìbào	report	83

J

基地	jīdì	base	2
机构	jīgòu	institution; organization	1
机箱	jīxiāng	cabinet	12
机械	jīxiè	machine	1
基准点	jīzhǔndiǎn	reference point	8
吉利	jílì	auspicious	7
吉隆坡	Jílóngpō	Kuala Lumpur	7

集团	jítuán	group	2
脊椎	jǐzhuī	vertebration	6
绩效	jìxiào	performance	1
纪要	jìyào	summary	5
加班	jiābān	work overtime	1
加盟	jiāméng	join in	10
兼职	jiānzhí	part-time job	1
简历	jiǎnlì	resume	1
建材	jiàncái	building material	11
间接	jiànjiē	indirect	8
键盘	jiànpán	keyboard	5
奖金	jiǎngjīn	bonus	10
降解	jiàngjiě	degradation	11
交付	jiāofù	hand over	8
缴纳	jiǎonà	pay	10
教派	jiàopài	religion group	3
接触	jiēchù	contact	3
接手	jiēshǒu	take over	10
节奏	jiézòu	rhythm	6
届	jiè	session	11
借鉴	jièjiàn	draw lessons from; use for reference	4
界限	jièxiàn	boundary	3
借条	jiètiáo	receipt for a loan	3
津贴	jīntiē	allowance	1
紧邻	jǐnlín	be next to	12
近在咫尺	jìn zài zhǐchǐ	very close	12
进度	jìndù	process	7
进取	jìnqǔ	make progress	9
晋升	jìnshēng	promotion	3
禁止	jìnzhǐ	forbid	5
经济舱	jīngjìcāng	economy class	7
精力充沛	jīnglì chōngpèi	energetic; vigorous	6
经销商	jīngxiāoshāng	agency; dealer	9
精英	jīngyīng	elite	1
就职	jiùzhí	inaugurate; asume office	4
鞠躬	jūgōng	bow	7
拘泥	jūnì	rigidly adhere to	8
巨头	jùtóu	magnate	9
据实	jùshí	according to facts	7
决策	juécè	make policy	3
角色扮演	juésè bànyǎn	role-play	4
决议权	juéyìquán	right of judgment	8

170

K

开发	kāifā	develop	2
开门见山	kāimén jiànshān	come straight to the piont	8
开拓	kāituò	explore	8
刊登	kān dēng	publish	10
砍价	kǎnjià	bargain	11
看样	kànyàng	look at the samples	12
考察	kǎochá	study; investigate	6
考评	kǎopíng	evaluation	4
考勤	kǎoqín	check on work attendance	5
科技	kējì	science and technology	1
科员	kēyuán	clerk	7
科长	kēzhǎng	section chief	7
客服	kèfú	customer service	9
客座	kèzuò	visiting	4
空间	kōngjiān	space	3
孔孟之道	Kǒng Mèng zhī dào	the doctrine of Confucius and Mencius	3
口碑	kǒubēi	public praise	10
口译	kǒuyì	oral interpretation	11
扣款	kòukuǎn	deduction	1
库房	kùfáng	storehouse	12
旷工	kuànggōng	absence	5
矿产	kuàngchǎn	mineral product	2

L

拉帮结派	lābāng jiépài	form cliques	5
拉杆箱	lāgǎnxiāng	draw-bar box	7
烂摊子	làntānzi	awful mess	5
劳动力	láodònglì	labour force	12
乐而忘返	lè'ér wàngfǎn	enjoy oneself so much that one doesn't want to come back	2
例会	lìhuì	regular meeting	6
立体化	lìtǐhuà	multi-dimensional	12
利润	lìrùn	profit	10
联络	liánluò	contact	11
列席	lièxí	attend as a nonvoting delegate	8
临床	línchuáng	clinical	1
零部件	língbùjiàn	spare parts	5
零售	língshòu	retail	10
领用	lǐngyòng	receive; draw; take out	5
流水线	liúshuǐxiàn	assembly line	2
流通	liútōng	circulate	12
轮值	lúnzhí	be on duty in turns	6

M

马达	mǎdá	motor	12
卖点	màidiǎn	selling point	4
毛绒	máoróng	stuffed	12
没准	méizhǔn	probably	3
蒙受	méngshòu	suffer	9
弥补	míbǔ	compensate	3
密集	mìjí	concentrated	10
面料	miànliào	fabric	2
面试	miànshì	interview	1
磨炼	móliàn	temper oneself	3
模式	móshì	model	10
模型	móxíng	model	4

N

南越王墓	Nányuè Wáng Mù	Nanyue King Mausoleum	6
能量曲线	néngliàng qǔxiàn	energy curve	6
年产量	niánchǎnliàng	annual output	2
牛皮纸	niúpízhǐ	brown paper	11
纽带	niǔdài	link	3
纽扣	niǔkòu	button	12

O

偶像	ǒuxiàng	model	3

P

培育	péiyù	cultivate; raise	9
配件	pèijiàn	accessory	3
配送	pèisòng	delivery	9
批评	pīpíng	criticize	5
皮革	pígé	leather	7
皮靴	píxuē	boot	7
瞟	piǎo	glance sidelong at; look; cast a glance	5
票据	piàojù	receipt	7
品位	pǐnwèi	taste	7
凭	píng	by	11
平淡无奇	píngdàn wúqí	appear trite and insignificant	9
平衡	pínghéng	balance	5
凭证	píngzhèng	certificate	5
朴实	pǔshí	simple; plain	3

Q

旗下	qíxià	subordinate	2
起始	qǐshǐ	start	5
气氛	qìfēn	atmosphere	2
契合	qìhé	agree with	9
洽谈	qiàtán	discuss	6
签领单	qiānlǐngdān	registration form	5
前台	qiántái	reception	8
潜在	qiánzài	potencial	7
强化	qiánghuà	strengthen; intensify	4
抢劫	qiǎngjié	rob	12
切忌	qièjì	avoid by all means	3
惬意	qièyì	pleased	7
轻工	qīnggōng	light industry	2
请贴	qǐngtiě	invitation	11
区域	qūyù	region	8
渠道	qúdào	channel	10
全方位	quánfāngwèi	comprehensive	2
全勤	quánqín	full attendance	4
全资	quánzī	a wholly-owned	2
权威	quánwēi	authority	3

R

让利	rànglì	surrender part of the profits	10
人情味	rénqíngwèi	human touch	4
人性化	rénxìnghuà	humanization	10
人缘	rényuán	popularity	5
认证	rènzhèng	authenticate	2
任人唯贤	rèn rén wéi xián	appoint people on their merit	5
日化	rìhuà	daily chemicals	12
融合	rónghé	mix together	9
若干	ruògān	several	7

S

散放	sǎnfàng	scatter	5
丧假	sāngjià	funeral leave	4
伤风	shāngfēng	cold	9
伤人	shāngrén	insulting	5
商誉	shāngyù	goodwill	2
上级	shàngjí	superior	6
上市	shàngshì	launch into the market	8
设	shè	establish	1

设备	shèbèi	equipment	2
社交	shèjiāo	social relationship	3
社科院	Shèkēyuàn	Academy of Social Sciences	1
深入浅出	shēnrù qiǎnchū	explain profound theories in simple language	4
审美	shěnměi	taste	9
渗透	shèntòu	penetrate	4
升级	shēngjí	upgrade	8
生效	shēngxiào	take effect	5
生涯	shēngyá	career	5
生意经	shēngyìjīng	business experience	10
声誉	shēngyù	reputation	10
省会	shěnghuì	capital city	7
失礼	shīlǐ	discourtesy; impoliteness	3
失误	shīwù	fault	6
时差	shíchā	time difference	7
时尚	shíshàng	fashion	1
时有发生	shí yǒu fāshēng	happen now and then	12
实施	shíshī	carry out; execute	4
实习生	shíxíshēng	intern	1
实战	shízhàn	real situation	4
士气	shìqì	morale; spirit	5
示范	shìfàn	demonstrate	4
事项	shìxiàng	item	3
事业	shìyè	career	9
事宜	shìyí	issues	6
饰品	shìpǐn	ornaments; decorations	12
手续	shǒuxù	procedure	7
受阻	shòuzǔ	impede; hinder	9
授权	shòuquán	authorize	10
枢纽	shūniǔ	hub	2
数码	shùmǎ	digital	10
刷卡	shuākǎ	swipe a card	5
双赢	shuāngyíng	win-win	10
水土不服	shuǐtǔ bùfú	unaccustomed to the climate	7
税务	shuìwù	tax	1
私企	sīqǐ	private enterprises	1
私下	sīxià	in private	8
私营	sīyíng	privately-owned	2
素质	sùzhì	quality	2
塑造	sùzào	mould	2
随机	suíjī	randomly	6
缩短	suōduǎn	shorten	9

所得税	suǒdéshuì	income tax	1

T

摊位	tānwèi	booth	12
弹性化	tánxìnghuà	flexibility	4
讨价还价	tǎojià huánjià	bargain	11
特产	tèchǎn	local specialty	3
特区	tèqū	special region	7
特殊	tèshū	special; exceptional	6
特许经营	tèxǔ jīngyíng	franchise	10
提成	tíchéng	commission	4
体检	tǐjiǎn	physical examination	6
体系	tǐxì	system	10
填埋	tiánmái	dumping	11
条理化	tiáolǐhuà	coherent and organized	6
调整	tiáozhěng	adjust	6
通报	tōngbào	announcement	5
同质化	tóngzhìhuà	homogenization	9
偷盗	tōudào	steal	12
头饰	tóushì	headdress	12
投	tóu	send	1
投标	tóubiāo	bidding	6
投诉	tóusù	complain	2
投影仪	tóuyǐngyí	projector	8
涂改	túgǎi	erase and change	7
途径	tújìng	ways	11
土产	tǔchǎn	local product	2
土壤	tǔrǎng	soil	11
团圆	tuányuán	reunion	9
推崇	tuīchóng	worship	5
囤货	túnhuò	store goods	10
妥当	tuǒdàng	proper	7
椭圆形	tuǒyuánxíng	oval	8

W

微妙	wēimiào	delicate; subtle	5
唯独	wéidú	only	2
慰问	wèiwèn	consolatory	4
文具	wénjù	stationery	11
文体百货	wéntǐ bǎihuò	department store of stationery and sports	12
吻合	wěnhé	fit	9
稳定	wěndìng	steady	10

无独有偶	wú dú yǒu ǒu	it happens that there is a similar case	9
五金	wǔjīn	the five	11
物流	wùliú	logistics	9
物美价廉	wùměi jiàlián	excellent quality and reasonable price	12
物质	wùzhì	material	3

X

嬉戏	xīxì	play	8
席卡	xíkǎ	nameplate	8
袭	xí	come	3
细胞	xìbāo	cell	4
下单	xiàdān	place an order	12
娴熟	xiánshú	skilled	11
现实	xiànshí	reality	9
线	xiàn	thread	12
线下	xiànxià	offline	11
限于	xiànyú	be limited to	2
湘菜馆	Xiāngcàiguǎn	Hunan restaurant	6
橡胶	xiàngjiāo	rubber	7
相框	xiāngkuàng	photo frame	9
橡皮筋	xiàngpíjīn	rubber band	7
销	xiāo	sell	2
消极	xiāojí	negative; passive; inactive	5
销路	xiāolù	market	10
消遣	xiāoqiǎn	pastime	3
协商	xiéshāng	consult with	10
协助	xiézhù	assist	6
新颖	xīnyǐng	new and original	11
行装	xíngzhuāng	package	7
幸运儿	xìngyùn'ér	lucky dog	5
雄心	xióngxīn	ambition	9
序号	xùhào	serial number	5
喧哗	xuānhuá	uproar	8
血压	xuèyā	blood pressure	6
循规蹈矩	xúnguī dǎojǔ	behave in a fit and proper way	3

Y

压制	yāzhì	suppress	5
雅加达	Yǎjiādá	Jakarta	7
亚健康	yàjiànkāng	semi-healthy	6
言传身教	yánchuán shēnjiào	instruct and influence others by one's word and deed	4
厌倦	yànjuàn	be tired of	6

验收	yànshōu	check and accept	8
腰带	yāodài	belt	5
邀请函	yāoqǐnghán	invitation	11
液晶	yèjīng	liquid crystal	10
一寸	yícùn	one inch	7
一律	yílǜ	without exception	8
遗漏	yílòu	omit	6
以免	yǐmiǎn	in order to avoid	2
亦	yì	also	2
意识	yìshí	be aware of	9
译员	yìyuán	interpreter	11
益处	yìchù	benefit	4
义工	yìgōng	volunteer	3
议程	yìchéng	agenda	8
意味	yìwèi	mean	9
议题	yìtí	topic	8
意愿	yìyuàn	wish	10
引进	yǐnjìn	introduce	2
隐私	yǐnsī	privacy	3
英才	yīngcái	person of outstanding ability	1
荧屏	yíngpíng	screen	8
营销	yíngxiāo	marketing	2
营业执照	yíngyè zhízhào	business license	2
应有尽有	yīng yǒu jìn yǒu	have all that is necessary	12
营运	yíngyùn	operation	1
有限责任公司	yǒuxiàn zérèn gōngsi	limited liability company	2
余地	yúdì	room	8
瑜伽	yújiā	Yoga	4
与会	yǔhuì	participate in a conference	8
语种	yǔzhǒng	language	11
预案	yù'àn	proposal	6
预防	yùfáng	prevent	3
预付款	yùfùkuǎn	advanced payment	8
愈合	yùhé	heal	3
预缴	yùjiǎo	prepay	2
玉米	yùmǐ	corn	11
预算	yùsuàn	budget	8
欲望	yùwàng	desire; wish	9
元素	yuánsù	element	9
圆珠笔	yuánzhūbǐ	ball pen	11
粤菜	yuècài	Guangdong cuisine	6
越雷池	yuè léichí	behave out of the bound	3

越秀公园	Yuèxiù Gōngyuán	Yuexiu Park	6

Z

在线	zàixiàn	online	11
赞助	zànzhù	sponsor	9
遭到	zāodào	encounter; meet with(disaster, misfortune,etc.); suffer	5
早退	zǎotuì	leave early	5
扎	zhā	fasten	5
展架	zhǎnjià	display rack	8
展位	zhǎnwèi	booth	1
占…便宜	zhàn… piányi	profit as other's expense	3
战略	zhànlüè	strategy	2
招募	zhāomù	recruit	10
招聘会	zhāopìnhuì	job fair	1
招商	zhāoshāng	attract investment	9
照明	zhàomíng	illumination	11
针对	zhēnduì	be aimed at	9
争风吃醋	zhēngfēng chīcù	be jealous	3
症状	zhèngzhuàng	symptom	6
支付	zhīfù	pay; payment	2
支配	zhīpèi	dominate	3
执行	zhíxíng	carry out	3
直截了当	zhíjié liǎodàng	straightforward	8
直销	zhíxiāo	direct selling	10
纸篓	zhǐlǒu	waste paper box	5
纸屑	zhǐxiè	scraps of paper	5
指纹	zhǐwén	fingerprint	5
指针	zhǐzhēn	indicator	9
纸制品	zhǐzhìpǐn	paper products	12
治安	zhì'ān	public security	12
致力于	zhìlìyú	devote oneself to	11
滞销	zhìxiāo	unmarketable	9
终端	zhōngduān	terminal	9
中高档	zhōnggāodàng	medium and high class	9
终止	zhōngzhǐ	end	5
重量级	zhòngliàngjí	high level	6
周期	zhōuqī	period	11
珠宝	zhūbǎo	jewelry	12
诸多	zhūduō	many; a lot of	2
诸如	zhūrú	such as	4
竹子	zhúzi	bamboo	11
逐项	zhúxiàng	term by term	6

主人公	zhǔréngōng	protagonist	3
助理	zhùlǐ	assistant	7
注	zhù	take a note	6
注册	zhùcè	register	2
专卖	zhuānmài	have exclusive rights to sell	12
转运	zhuǎnyùn	transfer	2
追捧	zhuīpěng	pursue and admire	11
追随	zhuīsuí	pursuit	9
追踪	zhuīzōng	track	4
资本	zīběn	capital	2
资质	zīzhì	qualifications	1
子公司	zǐgōngsī	subsidiary	2
自动化	zìdònghuà	automation	1
自尊心	zìzūnxīn	self-respect	5
宗旨	zōngzhǐ	purpose	4
总监	zǒngjiān	chief inspector	8
走极端	zǒujíduān	go to extremes	8
租赁	zūlìng	rent	3
坐落	zuòluò	be located in	12

参考答案

第1课

图片阅读

（一）

根据图片回答问题：

(1) 简历　　　(2) 上网、招聘会

(3) 电话　　　(4) 面试官

（二）

根据图片判断对错：

(1) √　　　(2) √　　　(3) √

根据图片选择正确答案：

(1) C　　　(2) C　　　(3) C

（三）

根据图片填空：

(1) 在国有企业里需求最多的职位是（市场营销），达到了（56）%。

(2) 外资企业里对（技术）、（生产制造）、（人力资源）职位的需求比国有企业多。

(3) 民营企业里对（人力资源）、（物流仓储）和（企业管理）职位的需求最少。

实用阅读

（一）

根据表格回答问题：

(1) 意大利

(2) 国际经济与贸易

(3) 北京、广州

(4) 3种，英语、意大利语、汉语

(5) 意大利贸易公司

(6) 与销售有关的工作

（二）

请你用略读的方法先看一遍材料，比较一下上面4个人信息，并回答问题：

(1) 杨宁　　　(2) 李英杰　　　(3) 王伟　　　(4) 杜平选

（三）

根据短文选择正确答案：

(1) A　　　　(2) C　　　　(3) B　　　　(4) C　　　　(5) B

拓展阅读

（一）

根据文章判断对错：

(1) √　　　　(2) ×　　　　(3) √　　　　(4) √　　　　(5) √

（二）

(1) （ 10 ）月（ 28 ）日，在中国（北京），（ 外国专家局 ）为在中国的外国人举办了（ 招聘会 ）。

(2) 参加招聘会的是在中国的外国人。人数很多，可能达到1500人。

(3) 这次招聘会提供最多的是英语教师的职位。

(4) 外国人和中国人相比有语言方面以及海外联系方面的优势。

(5) 大约有30万人。

(6) 每年4次。

(7) 没有。

第2课

图片阅读

（一）

根据图片回答问题：

(1) 钢管加工　　　　　　　　(2) 1个

(3) 盐山县工商行政管理局　　(4) 2011年12月31日

(5) 孙岩

（二）

根据图片判断对错：

(1) ×　　　　(2) ×　　　　(3) ×　　　　(4) √

（三）

根据图片回答问题：

(1) 长春市冷面机总厂

(2) 张凤振

(3) 长春市绿园区地方税务局

（四）

根据图片回答问题：

(1) 对外工程、中华人民共和国商务部

(2) 进出口业务、中华人民共和国对外贸易经济合作部

实用阅读

（一）

根据短文判断对错：

(1) ×　　　(2) ×　　　(3) √　　　(4) √　　　(5) √

（二）

根据短文选择正确答案：

(1) B　　　(2) D　　　(3) D　　　(4) B　　　(5) A

（三）

根据短文回答问题：

(1) 牛仔服饰　　(2) 女装　　(3) 4个　　(4) 1988年　　(5) 500万件

拓展阅读

（一）

根据上述内容，请你看看下图"惠安县鞋业有限公司"的有关信息，并回答问题：

(1) 诚信通会员　　　　　(2) 2000元

(3) 1997年，198万元　　(4) 女鞋

(5) 中贸远大　　　　　　(6) 有限责任公司

（二）

根据文章选择正确答案：

(1) C　　　(2) A　　　(3) B　　　(4) C　　　(5) C

第3课

图片阅读

（一）

根据图片回答问题：

(1) 周广泉、甘银霞　　　(2) 设计总监、行政助理

(3) 市场部、行政部　　　(4) 周总监、甘助理

（二）

根据A图回答问题：

(1) 如果你要找董事长，你应该去（4）楼。

(2) 如果你要应聘，你应该去（3）楼。

(3) 如果你要向这家公司收款，你应该去（3）楼。

(4) 如果你想买这家公司的产品，你应该去（3）楼。

到了3楼，你看到B图，根据B图回答问题：

(5) 如果你要找经理，你应该去（308）室。

(6) 如果你要开会，应该去（303）室。

(7) 如果你要收款，应该去（302）室。

（三）

根据图片填空：

(1) 属于决策层的是（董事会）。

(2) 属于运营层的是（总经理）。

(3) 营销副总经理管理（3）个部门，即（市场管理部）、（租赁部）和（各地分公司）。

(4) 技术副总经理管理（维修厂）和（研发部）。

根据图片回答问题：

(1) 财务部　　(2) 人事行政管理部　　　　(3) 研发部

(4) 市场管理部　(5) 采购部

实用阅读

（一）

根据短文回答问题：

(1) 行政部　　(2) 2012年5月26日　　　　(3) 惠州大亚湾

（二）

根据短文填空：

(1) 同事关系的纽带是（工作），亲友关系的纽带是（亲情）。

(2) 如果向同事借钱、借东西，应该主动向对方（打借条）。

(3) 背后议论他人的隐私，会损害他人的（名誉）。

（三）

根据短文判断对错：

(1) ×　　　　(2) √　　　　(3) √　　　　(4) ×

拓展阅读

（一）

根据文章判断对错：

(1) √　　　　(2) √　　　　(3) √　　　　(4) ×　　　　(5) √

（二）

根据文章选择正确答案：

(1) D　　　(2) B　　　(3) A　　　(4) A

根据文章回答下列问题：

(1) 自己做老板、给别人打工

（2）上司、下属、同级、客户的关系

（3）小说主人公、人事经理、工作了八年

第4课

图片阅读

（一）

根据图片选择正确答案：

(1) D B答案也可以 　　　　(2) A 　　　　(3) B

（二）

根据图片选择正确答案：

(1) A 　　　(2) C 　　　(3) D 　　　(4) B C

(5) A B 　　　(6) A B C E 　　(7) D

（三）

请根据图片回答问题：

(1) 海外营销公司总部

(2) 海外销售部、产品技术部

(3) 强化海外销售公司一线人员对新产品的认识度，加大海外产品对外宣传、推广力度，提升海外产品市场竞争力。

(4) 对现有产品线各主要产品功能及卖点进行相关知识培训。

(5) 不是，分阶段

(6) 考评

实用阅读

（一）

根据短文选择正确答案：

(1) D 　　　(2) A 　　　(3) C 　　　(4) D 　　　(5) A

（二）

根据短文回答问题：

(1) 正大集团、香港FAC设计公司、华为技术有限公司、UT斯达康通讯有限公司

(2) 行政经理、地区销售主管、人力资源部总监、企业大学校长

(3) 15年 　　　(4) 受学员欢迎和好评

（三）

根据短文回答问题：

(1) 工作中的学习 　　　(2) 从他人身上学习 　　　(3) 常规企业培训

(4) 员工 　　　(5) 微软的职业发展经验模型

（四）

根据短文选择正确答案：

(1) C   (2) B   (3) C   (4) A

根据短文回答问题：

(1) 上下班时间无限制、"在家工作"政策、"个人离开"假期

(2) 不是，自愿的

(3) 员工自己决定

(4) 医疗保险、工伤保险、公司的重大疾病支持项目

拓展阅读

（一）

根据文章回答问题：

(1) 宝洁

(2) 宜家

(3) 微软

(4) 英特尔

(5) A——英特尔

    B——宝洁

    C——微软

    D——宜家

第5课

图片阅读

（一）

根据图片填空：

(1) 员工打卡　指纹签到   (2) 8:20，17:00

根据图片连线：

9:30刷卡进公司 —————— 迟到

16:40刷卡离开公司 —————— 早退

8:30刷卡进公司 —————— 旷工半天

13:00刷卡离开公司 —————— 旷工一天

没有刷卡记录 ——————

（二）

根据图片回答问题：

(1) 7个   (2) 808   (3) 80791807   (4) 接待室、会议室

根据图片填空：

    如果新人刚刚入职，<u>应该去人事科</u>报到；领工资的时候，应该去<u>财务科</u>；如果办公电脑坏了，应该去<u>综合管理科</u>；负责处理公司文件与通知的是<u>秘书科</u>；<u>研发部的</u>工作主要是产品的研究与开发；<u>销售部</u>是销售产品的部门；而<u>海外部</u>主要关注公司

在海外的发展。

（三）
根据图片填空：
<u>销售部</u>的<u>林立</u>在<u>2011.11.11</u>领取了<u>6支白板笔</u>，用于<u>说明会</u>。
<u>秘书科</u>的<u>陈明</u>在<u>2011.11.12</u>领取了<u>一瓶胶水</u>，用于<u>办公</u>。

实用阅读
（一）
根据表格回答问题：
(1) 徐晓丽，销售部
(2) 去附属工厂采集合作公司所需的零部件材料
(3) 2011.5.8
(4) 3人
(5) 不需要
(6) 医院证明

（二）
根据表格判断对错：
(1) √　　　(2) ×　　　(3) √
(4) √　　　(5) √　　　(6) √

（三）
根据短文选择正确答案：
(1) B　　　(2) A、D　　　　　　(3) B
(4) C　　　(5) A、B、D

（四）
根据表格回答问题：
(1) 东南亚大区　　　　　(2) 作为纪念品送给客户
(3) 科室负责人　　　　　(4) 总经理

拓展阅读
（一）
根据文章判断对错：
(1) √　　　(2) ×　　　(3) √　　　(4) ×　　　(5) √
根据文章回答问题：
(1) 公开指责或挑战，也包括当众冲对方发脾气、发生冲突或没有表现出应有的尊重
(2) 认可别人的社会地位，公开表扬或者赠送昂贵的礼物
(3) 东方人
(4) 指对员工的批评和表扬

（二）

根据文章回答问题：

(1) 会   (2) 友善的对待

(3) 同事们的帮助   (4) 替他人收拾烂摊子

第6课

图片阅读

（一）

根据图片判断对错：

(1) ×   (2) √   (3) ×   (4) √

根据图片连线：

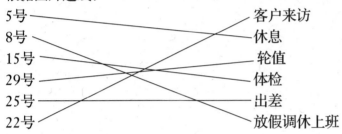

5号 —— 客户来访
8号 —— 休息
15号 —— 轮值
29号 —— 体检
25号 —— 出差
22号 —— 放假调休上班

（二）

根据图片回答问题：

(1) 危机，迫切问题及在限定时间里必须完成的任务

(2) 预防性措施，建立关系，明确新的发展机会，制订计划

(3) 接待访客，一些不太重要的信件或会议

(4) 琐碎忙碌的工作，消磨时间的活动，令人愉快的活动

（三）

根据图片选择正确答案：

(1) D   (2) C   (3) A   (4) D

实用阅读

（一）

根据图片填空：

    在会前准备阶段，<u>业务部</u>要准备客户来访计划，销售部则做<u>会前预案</u>，综合管理部、服务部和技术部要同时做好<u>协调准备接待、准备服务材料和准备技术材料</u>等工作。其中，<u>综合管理部</u>尤其要做好客户接待工作。<u>业务部</u>要给客户介绍公司并带客户参观<u>工厂</u>。销售部则在<u>技术部</u>的协助下进行产品谈判，成功后进行<u>价格</u>谈判，服务部进行<u>售后</u>谈判，洽谈后销售部要立即写好<u>合作备忘录</u>，业务部进行<u>谈判总结</u>，并由<u>销售部</u>备案。

（二）

根据表格选择正确答案：

(1) C (2) B (3) B, D (4) B (5) D

（三）

根据表格判断对错：

(1) × (2) √ (3) √ (4) × (5) √

拓展阅读

（一）

请看看下面这些观点和文章中哪个段落的意思一致：

(1) D (2) A (3) B (4) C

（二）

根据文章第二段完成以下图表：

10% 偶尔加班

20% 主动加班

65% 每月加班超过20小时

80% 被动加班

根据文章回答问题：

(1) 电气/电子

(2) 私企加班多，国企加班少

(3) 血压升高，肠胃不适，全身酸痛，眼睛干涩，脊椎疼痛，心情烦闷等

第7课

图片阅读

（一）

根据图片选择正确答案：

(1) A;C (2) C (3) D

（二）

根据图片填空：

(1) 出差之前首先要提交申请，然后安排出差人员并办理出差手续。

(2) 相关单据需要整理、提交和审核。

(3) 出差回来后最后要形成出差报告。

（三）

根据图片判断对错：

(1) √ (2) × (3) √

实用阅读

（一）

根据表格选择正确答案：

(1) C   (2) D   (3) D;A   (4) C

（二）

根据短文判断对错：

(1) ×   (2) √   (3) ×   (4) √

（三）

根据表格回答问题：

(1) 出差任务、出差地点、出差时间、出差计划、完成进度及出差总结
(2) 项目跟进，深圳，5天
(3) 汇总深圳地区整体情况
(4) 营销人员、技术研发部

第8课

图片阅读

（一）

根据图片选择正确答案：

(1) B   (2) B   (3) A   (4) C

（二）

根据表格填空：

这是××公司在2012年的第一次公司全体大会。会议时间为1月5号，会议在大会议室召开。主持人是市场部的主管陈子明，记录人为秘书部的秘书马琳。表格中共有5个部门出席这次大会，名单人数为8人，签到人数为6人，其中1人缺席，1人请假。

（三）

根据图片回答问题：

(1) 一个月
(2) 刘鸣
(3) 6个
(4) 2个小时
(5) 本月重点项目开展情况、市场重大问题处理进展情况、配件采购情况通报、本月技术资料编制计划及进展情况
(6) 海外市场拓展情况、接待礼仪规范

实用阅读

（一）

根据短文选择正确答案：

(1) B   (2) C   (3) C   (4) D   (5) C

（二）

根据短文判断对错：

(1) √   (2) ×   (3) √

(4) ×   (5) √   (6) ×

（三）

根据短文回答问题：

(1) 最少10人，最多50人

(2) 200元

(3) 提前两天电话预约

(4) 不行，至少提前一天

(5) 可以取消，提前一天

(6) 不可以

第9课

图片阅读

（一）

根据图片判断对错：

(1) ×   (2) ×   (3) ×

(4) √   (5) √   (6) √

（二）

根据图片内容填空：

　　康师傅冰茶的主要消费者有6种类型，分别是现实型、追随型、时尚型、学业/事业型、进取型和传统型。其中，追随型的消费者以21%的比例排在第一位，他们的年龄在15岁至24岁之间；排在第二位的是学业/事业型、时尚型和现实型的消费者，所占的比例都是17%；第三名是传统型的消费者，占15%。

（三）

根据图片判断对错：

(1) √   (2) ×   (3) √

(4) ×   (5) ×   (6) √

实用阅读

（一）

根据文章选择的正确答案：

(1) B　　　　　(2) C　　　　　(3) ABC　　　　(4)ABC

（二）

根据表格把各部门和对应的工作职责用横线连接起来：

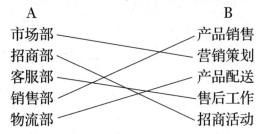

A
市场部
招商部
客服部
销售部
物流部

B
产品销售
营销策划
产品配送
售后工作
招商活动

根据表格内容填空：

(1) 3月份，市场部要进行充分准备和市场调研。4月份，这个部门还需通过报纸、杂志和网站进行宣传工作。

(2) 该公司的促销方法包括：向一些人赠送产品并做适当报道；针对产品终端，如零售店，开展促销活动。

（三）

根据短文判断对错：

(1) √　　　　　(2) ×　　　　　(3) √　　　　　(4) ×　　　　　(5) ×

拓展阅读

（一）

根据文章选择正确答案：

(1) C　　　　　(2) B　　　　　(3) C

（二）

根据文章回答问题：

(1) 高露洁采用了创新的内包装——复合管塑料，并用中国消费者喜欢的红色作为外包装的主题色彩。

(2) 高露洁的成功使多个中国牙膏企业品牌放弃了使用多年的铝制材料作为内包装，而用复合管塑料包装取而代之，并创新了外包装设计。

(3) 高露洁在日本市场的失败说明企业进入市场之前应该进行详细的市场调研。

图片阅读

（一）

根据图片回答问题：

(1) 三种，代理、经销和直销

(2) 代理商不需购买产品，压力不大；经销商有独立的经营机构；直销可以节省成本，让利给消费者

（二）

根据图片判断对错：

(1) ×　　　　(2) √　　　　(3) ×　　　　(4) √

实用阅读

（一）

根据短文选择正确答案（多选）：

(1) AC　　　　(2) BC　　　　(3) ABC　　　　(4) AB

（二）

根据短文判断对错：

(1) √　　　　(2) ×　　　　(3) √

(4) √　　　　(5) √　　　　(6) ×

（三）

根据文章选择正确答案（多选）：

(1) AB　　　　(2) AC　　　　(3) ABC　　　　(4) B

拓展阅读

（一）

根据文章回答问题：

(1) 海尔与日本的三洋电机公司合作，利用三洋电机公司在日本的销售网点建立销售渠道。

(2) 海尔通过这种方式全面进入日本家电市场，成为第一个被日本消费者接受的非本土品牌。

(3) 因为不仅海尔从中获利，三洋电机公司也实现了在中国的销售。

（二）

根据文章回答问题：

(1) 1998年

(2) 直销

(3) 中国政府全面禁止传销（包括直销）活动。

(4) 1998年以后，安利采取了"店铺+雇佣推销员"的经营模式。这种经营模式保证
了产品质量，并且杜绝了推销员自行定价带来的问题。

(5) 安利在中国实现了成功转型。

第11课

图片阅读

（一）

根据图片选择正确答案：

(1) B　　　　(2) C　　　　(3) A　　　　(4) C

（二）

根据图片选择正确答案：

(1) B　　　　(2) B　　　　(3) C

实用阅读

（一）

根据短文选择正确答案：

(1) B　　　　(2) C　　　　(3) C

（二）

根据短文判断对错：

(1) ×　　　　(2) √　　　　(3) ×
(4) √　　　　(5) √　　　　(6) ×

根据短文选择正确答案：

(1) C　　　　(2) D　　　　(3) AB　　　　(4) D

（三）

根据短文判断对错：

(1) ×　　　　(2) ×　　　　(3) ×
(4) √　　　　(5) ×　　　　(6) √

拓展阅读

（一）

根据文章选择正确答案：

(1) C　　　　(2) D　　　　(3) C　　　　(4) D　　　　(5) C

根据文章回答问题：

(1) 以天然竹子为原材料的产品、利用回收材料制作的产品和以PLA玉米材料制作的
产品，特点是环保无污染。

(2) 环保、无污染

（二）

根据文章选词填空：

(1) A   (2) A   (3) D   (4) C   (5) B

(6) B   (7) B   (8) C   (9) A   (10) A

根据文章回答问题：

(1) 不多   (2) 2个   (3) 价格质量有优势

(4) 展区相距过远，展期跨度大，高质量的宾馆少

第十二课

图片阅读

（一）

根据图片选择正确答案：

(1) C   (2) C   (3) C

（二）

根据图片回答问题：

(1) C

(2) 要采购A，到第1层C1区

    要采购B，到第1层A1区

    要采购C，到第2层C2、D2、E2区

    要采购E，到第1层E1区

实用阅读

（一）

请用下列词语把上表补充完整：

经营（面积）	20多万平方米
摊位面积	10-20平方米
（摊位数）	每层有2000多个摊位，共4层，顶层设有餐饮部
市场布局	分ABCDE五个区
经营（档次）	中高档
经营类别	男装、女装、（套装）、休闲装，衬衫、外套、大衣、内衣
市场类型	（批发）
仓储方式	档口放货，租房存货
广告宣传	网络广告、电视、报刊广告
（租金）	1~2层为5~7万，3层为1~2万（另收管理服务费等共计1200元）
营业时间	07：30~18：00
金融	顶层和附近有中国建设银行、中国银行、中国工商银行
（停车场）	商场门口和负一层设有停车场

根据表格判断对错：

(1) ×   (2) √   (3) √   (4) ×

(5) √　　　　(6) ×　　　　(7) √

（二）

根据短文选择正确答案：

(1) C　　　　(2) C　　　　(3) B　　　　(4) C

根据短文判断对错：

(1) ×　　　　(2) √　　　　(3) √

(4) √　　　　(5) ×　　　　(6) √

拓展阅读

（一）

根据文章选择正确答案：

(1) C　　　　(2) A　　　　(3) B　　　　(4) C　　　　(5) C

（二）

根据文章填空：

　　义乌小商品市场 坐落 于中国浙江省义乌市，营业面积260多万平方米，商位50000 余 个，日 客流量 20多万人次。市场 总成交额 连续15年排名第一。产品物美价廉，应有尽有，在国际上具有极强的 竞争力 。商品 辐射 212个国家，产品销往 东南亚、中东、欧美等地。现 驻 义乌的外商 达 8000多人。

（三）

根据文章判断对错：

(1) √　　　　(2) ×　　　　(3) ×　　　　(4) √　　　　(5) √